WORLD RESET《ワールドリセット》 2021

大暴落にむかう世界

Masahiro Miyazaki
宮崎正弘

ビジネス社

プロローグ　米中激突は新潮流を産み、世界地図は二極化する

百年経っても中国は日本に追いつけない

世界大混乱は中国が元凶のコロナ禍によってもたらされた。

基本的に「百年経っても西側を超えられない。それなら土壌を変えよう」とする中国の覇権をめざす野望から空前絶後、超弩級《ちょうどきゅう》の激変が始まった。「基本のルールは中国が決める」、「世界新秩序は中国が策定する」、「ゲーム・チェンジャーは俺様だ」という傲慢《ごうまん》な思い上がりが中国共産党にある。あの幹部連中の風情と言葉遣いから明瞭《めいりょう》に察知できることだ。

米中外務トップ会談（アラスカ州、2021年3月18〜19日）で楊潔篪《ようけつち》国務委員（前外相）が言い放ったように「客を招いての態度が非礼だ。アメリカは中国の内政に干渉するな」とした傲《ごう》岸不遜《がんふそん》に如実にあらわれている。

経済政策に関して中国の統治者は何も知らないし、知っていることは全部間違っている。

中国が国を挙げて取り組んでいる半導体プロジェクトひとつをとっても、じつは台湾との技術格差に5年以上の開きがある事実は関係者の間で常識である。

華為技術（ファーウェイ）や中興通訊（ＺＴＥ）の５Ｇが世界をリードしている？

地上局と通信システムのレベルであり、中枢の技術は日・米、台湾、韓国が握り、搭載されるＯＳやソフトは米国製ではないか。たとえばファーウェイのスマホのＯＳはグーグルの「アンドロイド」が搭載されている。

中国の野望をわかりやすく言えば、これからは宇宙、航空、軍事、貿易、通貨などルールを決める基軸の役割を主導し、「中国様がゲーム・チェンジを図る」と宣言したことだ。まさかそんな傾向にはなるまいと思っていたら、ＥＶ（電気自動車）プロジェクトに西側が巻き込まれた。動機は綺麗事《きれいごと》だらけの「パリ協定」である。「２０５０脱炭素」（カーボン・ニュートラル）などという津波のような強迫観念に取り憑《つ》かれた現代病のせいだ。

２０５０年に脱炭素など実現不可能である。

40年前に核融合は「あと40年かかる」といわれた。40年後、核融合の実験炉は廃炉となった。

コロナ禍による異常な現象が株式市場で起きた。アメリカの株価は過去30年で10倍となった。ところが日本はこの30年、横ばい。つまり30年かけて、やっとこさ元の株価を回復させただけ。それも束の間の出来事だった。慢性的デフレに悩み、出生率は鋭角的に鈍化し、ＧＤＰも下降曲線を描いていた。日本は置いてきぼりになっていた。

コロナは中国湖北省の武漢で発生し、またたくまに地球規模で感染が拡大、全世界を変えた。２０２１年４月１日、アメリカだけの死者が55万人を超えた。世界全体で３００万人以上が死んだ。史上最悪の事態だ。

にもかかわらず中国の影響下にある国連ＷＨＯ（世界保健機構）は「ＣＯＶＩＴ-19」などと意味不明の略語をあて、「原因は特定できない」という素《す》っ頓狂《とんきょう》な報告書をだした。トランプ前大統領は「武漢コロナ」とはっきり呼び、「責任を取らせる」とした。ところがバイデン政権になると、この呼称を大統領令で禁止した。それなら中国に責任を問うことはできなくなるではないか。

米世論調査機関「ピュー・リサーチ・センター」は２０２１年３月４日、アメリカ人の「対中国感情」の調査結果を発表した。全人代前日というタイミングを選んだ。その結果は「中国は敵」と回答した人が34％、「競争相手」が55％。そして「パートナー」は９％だった。共和党支持者に限ってみると、「敵」が64％。また「習近平国家主席はまったく信用できない」との回答が43％もあり、「あまり信頼できない」との回答を合計すると、８割以上が中国に否定的なことがわかった。バイデン政権がすすめる「人権問題で前進がなくても経済関係を優先すべきだ」という回答は４分の１となって、残りの70％が「経済関係が悪化しても人権問題を優先すべきだ」とウイグル、香港、チベット問題の深刻さを認識した回答となった。

こうした世論の変化（オバマ時代まで米中は、「ステークホルダー」「G2」と呼び合っていたのがウソのようだ）、反中傾斜を前にしては、さすがに親中派バイデンも中国とのずぶずぶ関係の回復は難しいだろう。

グローバリズムよ、さようなら

しかし武漢コロナの大感染で、世界が熱病のように取り憑かれていたグローバリズムはあっけなく消え、各国は国境を閉じた。「グローバリズムよ、さようなら」となった。次は「EVよ、さようなら」だろう。ワールド・リセットの出発点だ。

げんに中国は軍と公務員のテスラEV使用に規制をかけた。2021年3月18日に、中国国家市場管理総局は、軍ならびに国家公務員、国有企業従業員のテスラの使用を禁止すると通達した。折しも米中対話決裂、米国との政治衝突で、米国への報復措置かと思われがちだろうが、表向きの理由はバッテリーの火災事故だった。20年、中国で14万台を販売したテスラのモデル3のバッテリーが出火し、車体が燃える事故が起きた。

中国とは蜜月関係、上海浦東《ほとう》地区に巨大な敷地を提供されたテスラは、ハイテク・ロボットを導入した最新鋭工場を建て、中国の国策でもあるＥＶ自動車の先頭を走ってきたが、出火事故がもたらした悪影響は底知れない近未来の挫折を予感させる。

ところが真の理由はテスラに内蔵されたカメラ（録音機能を兼ねる）の収録するデータが米国に漏洩《ろうえい》しているとする中国の猜疑《さいぎ》で、それゆえに軍と国家公務員の使用を規制する措置にでたのである。

中国は日米間のビジネスにも露骨に介入してきた。

日本のＫＯＫＵＳＡＩ ＥＬＥＣＴＲＩＣは、もともとの創業が八木アンテナである。日立傘下から独立して、ＫＯＫＵＳＡＩ ＥＬＥＣＴＲＩＣは世界的なハイテク企業となっていた。この将来性に目を付けたのが禿鷹《はげたか》ファンドのＫＫＲ（コール・クラビス・ロバーツ）だった。ＫＯＫＵＳＡＩはＫＫＲに株を買い占められていた。ＫＫＲは米国強欲資本主義が産んだ申し子。儲け話に飛びついて狙いをつけた会社の株を買い、グリーンメールか、高値転売をやってのける。米国Ｍ＆Ａ史の勇者でもある。

アプライド・マテリアルズ社は世界的な半導体製造装置メーカーで、２０１３年９月には日本の東京エレクトロン買収を発表したが、翌年、独禁法抵触がわかって破談となった。もし、このときに東京エレクトロン買収に成功していれば、アプライドは世界最大のＩＴ企業となるはずだった。ＫＯＫＵＳＡＩはこの間に中国に狙われた。アプライドは２０１９年に、

２５００億円でＫＯＫＵＳＡＩの買収を発表し、その後、２０２１年1月には買収額を60％積み上げて、３４５０億円でＫＫＲから買収すると息巻いていた。株主のＫＫＲは大儲けが転がり込んでくることになる。

土壇場の２０２１年3月、中国の司法当局が介入し、この買収に反対したため、巨大Ｍ＆Ａは白紙に戻った。しかし中国が、なぜ、どのような法的根拠で介入できたかと言えば、ＫＯＫＵＳＡＩが上海に現地法人をもっており、この連結決算で中国が介入できる余地があったのである。グローバル化のアキレス腱《けん》が妙なポイントにもあった。

世界中で不況、失業の波が押し寄せた一方で、欲望と貯蓄が堆積した。

「生活苦なのに株高」とは、まるで歯車が噛《か》み合っていない。これを最近の経済ジャーナリズムは「K字経済」と呼ぶ。正確には貧富の乖離《かいり》、つまり二極化しているのである。貧富の差は開いているのである。縦線の1がコロナ禍を示し、その後の上と下への傾斜の「K」がそれを表している。

保護主義の台頭が局所的には見られたが、国際間取引は廃《すた》れない。海運業は多忙を極め貿易高は増えた。海上運賃は高騰した。何ものかが地下水脈で渦巻いており、もっと大胆に世界を変貌させる予兆があちこちにでている。

疫病はポエニ戦争もローマの滅亡も、スペイン風邪と第一次大戦も、すべての画期的な出来事において世界の根底をリセットさせた。『古事記』の崇神《すじん》天皇の項には、疫病が国民の多くを死亡させたとし、『日本書紀』は大半の民が犠牲になったと書いている。聖武《しょうむ》天皇の大仏開眼は疫病封じ込めを祈る儀式だった。古代から疫病は人間の敵だった。疫病の大流行は間歇《かんけつ》的に起こり、古代政治を支配していた藤原家、とくに藤原不比等《ふひと》の裔《すえ》である藤原四兄弟まで感染して死亡し権力構造を激変させた。いま世界は疫病との戦いに疲れ、トランプロス、安倍ロスを産んだ。

日立はDXを決断した

コロナ禍によって政治の世界のみならず世界の産業の地殻変動が起こった。

観光が廃れ、飲食店は壊滅状態となる一方でズーム、ウーバー、ネットフリックスの新興御三家は業績を伸ばし、フィンテック、AI、EVの新技術が次のイノベーションへのシフトを産んだ。雇用地図も変貌する。サービス産業での失業が増えているが他方でIT人材の求人率が5倍以上である。このためIT技術者の派遣紹介の仲介業が最盛期、しかもマザーズに上場するや、売り出し価格の2倍近い値をつける現象がみられる。DX（デジタル・トランスフォーメーション）に対応するため日本ＩＢＭは国内最大級の１０００名の中途採用を決めた。ＮＥＣ、ＮＴＴデータ、日立、富士通なども大量の人材を拡充する。

東芝は落ち目、そのうえ外国資本から２兆円の買収提案に揺らぐ。ＩＨＩは往年の元気なし。鉄鋼の日本製鉄も、ＪＦＥもいくつかの高炉を止めて、中国に敗北を追認した。日本製鉄は１０００名の人員整理だ。半導体は、日米半導体協定による劇的な衰退が始まり、台湾のＴＳＭＣ、韓国のサムスンが「二強」となって世界シェアの72％を寡占するに至った。

米インテルですら、台湾のＴＳＭＣに後れを取った。日本の半導体の復活が期待されたが、エルピーダは経営破綻、ようやく立ち上がってきたルネサスは、東北地震と３月末のひたちなか市の主力工場の火災で思わぬ挫折を強いられた。

こうした状況下、日立は決断をくだした。１兆円を投下して米国のグローバルロジックの買収に踏み切ったのだ。これは重電企業の体質と構造を自ら激変させる乾坤一擲《けんこんいってき》の賭けである。

米国のＩＴ大手、グローバルロジックは従業員が２万人、顧客が世界14カ国に４００社。このＩＴ企業の裾野を日立が得意とする鉄道、エレベータ、自動車、家電、変圧器、インフラ、エネルギーなどにＩｏＴで結ぼうとする。ＩｏＴとは「すべてのものがインターネットとつながる」という次の社会の産業、生活インフラとなる。まさにＤＸシフトと呼ばれ、次世代のコンピュータインフラと直結させる構造転換である。

かくして世界は予想だにせぬ方向へリセットされる。コロナ禍が去れば、世界は一挙にその方向へ驀進《ばくしん》し始めるだろう。

第一に米国主導という時代は終わりを告げる。西側の団結も亀裂が入り、アジアにパワーが移行した。とりわけ中国の軍事力が次の波乱要素になる。バイデンは欧州に協調態勢強化を呼びかけたが反応は冷たかった。NATO（北大西洋条約機構）加盟国に亀裂が生じており、マクロン仏大統領は欧州軍の創設を呼びかけている。

第二に同盟関係の組み替えが起こる。

アジアには日米豪印の「クアッド」が形成されたが、これが発展的に「アジア版NATO」を誕生する可能性、なきにしもあらずだろう。欧州の事情通に拠ると英国がクアッドに参加する予定がある。また英国は米・豪・加・NZの「ファイヴ・アイズ」（共通の情報網）に日本を加えようとしている。

3月22日にEU、英国、カナダが、米国に続いて中国制裁に加わるとしたのも次の動きを連想させる。バイデン大統領が就任後すぐに復帰を声明した国連WHO（世界保健機構）は機能不全に近い。一方、中国主導のRCEP（地域的な包括的経済連携協定）は絵に描いたモチに終わるだろう。

米国の衰退という方向性だけは確かだ。まして自国のためにだけ政治をするというバイデン政権になって、従来の「日米同盟」に依存する日本に宿命的な選択が迫られている。視野に飛びこんできたのは、不平等な「日米安保条約」の改定である。日本の自衛力増強は当然の流れとなる。

第三に中国の野放図な軍事力膨張への対応が多角的になされ、国際政治の枠組みに変化が起こるだろう。

米国の軍事力後退は以前から言われてきたが、反比例して中国の軍事突出はまだ勢いが止まらない。米中の軍事バランスは今後5年ほどでひっくり返る可能性さえある。しかも中国はロシアとパートナーを組んでおり、西側にとって大きな敵は中露の軍事大国を相手にしなければならないことだ。

第四に財政、金融政策をどうするのか。

予測のキーとなるのは、バイデン政権が驀進する赤字ばらまきという野放図な財政政策だ。2021年1月19日に米上院財政委員会はバイデンから財務長官に指名されたイエーレン（前FRB議長）の承認公聴会を開いた。この席でイエーレン財務長官は「大きな行動を取る」と言った。「債務拡大につながっても恩恵は代償を上回る」と赤字拡大に前向きだった。従前の財政基本政策をがらりと変えたのだ。

第五に為替の激変が予測されることだ。

未曾有の危機に緊縮財政とかバランスシートとかの議論はワシントンからも消えていることに注意したい。赤字国債を乱発すると公言しているのである。バイデン政権はコロナ対策のための景気刺激策に1・9兆ドルを予算化したが、次に今後5年間で3兆ドルの財政出動をすると言っている。

このような野放図なバラマキ政策にサマーズ元財務長官らは真っ向から反対している。コロナ禍以前、まったく相手にされなかったMMT（現代貨幣理論）議論がいまでは世界の常識となった。

「米国民が新型コロナ感染拡大の影響に耐えられるよう財政面で積極支援をなし、米経済を再構築することが、多くの人が恩恵を受けられる繁栄を実現できる」とし、「金利が歴史的な低水準にある」とイエーレン財務長官は付け加えた。こうなると理論的にはドル安が進行し、円高の傾向は今後ますます強まるはずである。4月までのドル高は金利高が原因である。

大暴落が近づいてきた

リーマン・ブラザーズが破綻する1年前（2007年春）に名門証券のベア・スターンズが事実上倒産した。JP・モルガンが静かにベア・スターンズを買収したので、危機は深刻に認識されなかった。

しかし無茶苦茶な貸し出しを続けてきたサブプライム・ローンの赤字累積が、いずれ大爆発を起こすだろうと警鐘を鳴らすエコノミストは大勢いた。

２００８年9月15日のウォール街大暴落。リーマン・ショックをいまさら解説する必要はないだろう。「百年に一度」の金融危機と言われた。ＦＲＢ（連邦準備制度）は金融緩和を強引に牽引する一方で、米国金融界の大再編が起こった。この激烈なＴＵＮＡＭＩは日本にも深甚な悪影響を及ぼし日本の証券、銀行が再編された。「昔の名前」が残るのは三菱と三井・住友だけだが、両行とも合併を繰り返し、行名も変則的である。

後日、リーマン・ブラザーズの幹部が語った。

「皆がパーティに集まって、ダンスを踊っているときに自分だけ抜け出すわけにはいかない」

類似するモデルがすでに目の前にある。「環境」というリベラル派の利権である。ガソリン車が廃れ、いずれＥＶが大躍進を遂げるそうな。まさに自動車産業界は「リーマン・ダンス」に似た「ＥＶダンス」を踊っているのではないのか。

ＥＶは走行距離が短く、大型車両には不向きなうえ、スピードもでないことは誰もが知っている。そのうえ電気消費が2倍になるが、発電を増やすという根本の対応ができていない。充電スタンドも決定的に不足している。斯界《しかい》では「株価をつり上げる情報操作が目的」とか「補助金を予算化するため」とかの説も出回っている。この詳細は次章で検討する。

ビットコインが6万ドルを突破した。直接の原因はテスラが15億ドルを投資したからだ。しかしビットコインは暗号ゲームであって、法定通貨ではない。そのうえ「環境・社会・企業統治」という企業トップの重点的目標からはかなり乖離している。テスラを率いるイーロン・マスクは市場の特性を巧妙につかんでの冒険主義の暴走が見られ、いずれ信長のように高転《たかころ》びに転ぶことにならないか。


難問は中国という「大問題」である。「毛沢東劇場」を習近平に続けさせて良いのだろうか？「毛沢東2・0」を狙う習近平の独裁体制は明らかに強化され、全体主義のメカニズムは国家資本主義という効率的なエンジンが全開、世界秩序を変えようとしている。

イエーレン財務長官は、「中国は明らかに米国のもっとも重要な戦略上の競争相手であり、中国の『不平等で不法な』慣習に対応していく」として、専門外の外交に言及したことも、対中外交がアメリカの財政政策とセットであることをうかがわせる。

ブリンケン国務長官もサリバン大統領補佐官も、バーンズＣＩＡ長官も他の閣僚も、この点では同じである。

バイデン大統領自身が2月4日の記者会見で「中国はもっとも深刻な競合者」と明言した。

そして「これまで通りの（強硬な）姿勢で対中外交に臨む」として表面上はトランプの対中強硬策を維持するとしたのだ。

しかし政策運用面では、強気の宣言とは裏腹に米国ファンドの中国株投資規制を延長したり、議会承認を必要としない細かな政策面では大統領命令で姑息《こそく》に戦術を変更したりして、対中国強硬路線を弛緩《しかん》させている。米国の、かような硬軟両様の曖昧《あいまい》戦略が続く限り、中国の横暴は止むことがないだろう。

ともかくEV（電気自動車）が近未来の産業を牽引すると夢が語られているが、この方向には嵐が待ち受けている。

次世代自動車のほとんどがEVになるというのは一種信仰に近い未来図だ。新興のテスラは中国に大工場を建てて、いまや年間50万台の販売を記録し、インドにも工場を造ると息巻く。冷淡だったGM（ゼネラルモーターズ）が全車種を2035年までにEVとすると宣言したことも手伝って、本気にされなかったEV社会の到来がリアルな問題として捉えられる。

しかしEVが中国主導で世界の産業が変貌するという未来図は本当なのか？　先進工業国はそれでよいのか。中国に騙されているのではないのか？

EV開発に次世代の夢を託した自動車業界、関連部品、半導体業界は、それが正夢なのか悪夢なのかの判定もできないままに突き進んでいる。ＥＶは部品数を減らすメリットがあるといい、中国でははやくも45万円の廉価版も登場した。アップルもファーウェイも鴻海《ホンハイ》も小米《シャオミ》もＥＶに参入する。出光も１００万円台の廉価ＥＶを生産すると言っている。

だが、誰も大きな声で真実を語らないではないか。

ＥＶの普及には充電設備の不足、リチウムイオン電池の改良、継続走行距離の短さというデメリットはさんざん指摘されてきたが、電力消費が2倍になるという裏側の恐怖に関してメディアの報道は非常に抑制されている。まして２０２１年2月からのテキサス州の大寒波は、停電をもたらしたが、トヨタ、日産工場がとまったのである。半導体工場もとまって産業界が悲鳴を挙げた。

つまり停電になればＥＶは走らないのだ。

エマニュエル・トッドは「日経ビジネス」（２０２１年1月25日号）のインタビューに答え、国家観や宗教的団結が弛緩しグローバリズムが全盛をむかえたと分析しながら「あきらかにグローバリズムが行きすぎており、社会が崩れ始めている。もう少し協力し合う保護主義が必要ではないか」とコメントした。

夢や理想を欠落させたグローバリズムもＥＵ統合も社会主義も、いっときは夢だったのだが、すべてが崩れつつある。現在の夢とはエコロジー方面にあって、「地球に優しい経済は温暖化のような恐怖が裏に隠れている。裏を返せば悪夢ではないのか」とトッドは問題を提議した。

ただしエマニュエル・トッドは中国へは例外だとして次のように発言しているのである。

「保護主義の恩恵をもっとも受ける国は中国です。中国は輸出に偏って成長を遂げている。しかし国内の需要が下がり、経済的に停滞している国だということがだんだん見えてきました。中国企業は輸出に頼りすぎて停滞している（中略）。中国はソ連と似たようなところがあり、全体主義的な傾向を持ち西洋や先進諸国の経済の後追いをしています。後追いが終わって一番になったときに、刷新とか改革をするような文化がない。そうすると結局そこで崩壊してしまうと言える」

自壊作用を同時進行させている中国が主導するEVは、空怖ろしくないか。

それにしてもアフター・コロナ時代には、何が待ち受けているのだろう？

プロローグ　米中激突は新潮流を産み、世界地図は二極化する

第一章　欲望と貯蓄のマグマが爆発する

第二章　バイデンのアメリカは衰退へ

第三章　国際政治の同盟関係が組み替わる

第四章　GAFAの落日が始まった

第五章　中国経済は砂上の楼閣

第六章　日本再生への道のり

エピローグ　伝統の復活

第一章

欲望と貯蓄のマグマが爆発する

鼠の集団自殺に酷似してきた

豊田章男トヨタ社長は2020年12月の自動車工業会で、「すべてがEVとなると、夏の電力は15％ほど不足する。原発10基分にあたる」と訴えた。

日本は原発が止まっているので発電を火力に依存している。その火力発電も脱炭素の流れのなかで、これ以上の増設は不可能だ。水力発電が不足を補うが、太陽光パネルと風力発電はほとんど成果がない。となれば逆に炭素は増えるのが自明の理である。皮肉な話である。

EVはレミングが集団自殺のために崖《がけ》っぷちから海に飛びこもうと皆が走り出した構図である。レミングとは北半球の寒冷地に生息する鼠の種類で別名をタビネズミ。北欧やカナダで観測されるのはレミングが崖から飛び降りて集団自殺すること、間歇《かんけつ》的に大量発生し、そして絶滅寸前になる。

――似ているなぁ。太陽光発電も風力発電も。そしてこんどはEVだ。

太陽光パネルの失敗は無惨な結果を生み出した。2019年度には、年間2兆4000億円もの巨費が賦課金となった。風力発電も不発に近い。風が吹かない場所に風力発電設備を並べたのは、いかなる神経だったのか？

たとえば2021年3月半ばから4月にかけて、北京、天津は黄砂《こうさ》の嵐に見舞われた。視界はゼロに近かった。空港は閉鎖され、ハイウェイは渋滞し、人々は外出どころではなくなった。この深甚な黄砂が太陽光パネルを機能不全にすることをお忘れなく。

ＥＶは政府補助金など、下請け企業の勃興《ぼっこう》のあとに待つ倒産の悲劇。当面株価が吹き上がるから米国の投機ファンドの20％が、じつはこのＥＶベンチャーに向けられている。それゆえテスラ株価がトヨタの4倍になるという珍現象を促した。

2019年度統計で日本の自動車のシェアは60・8％がガソリン車、34・2％がハイブリッド、残りはディーゼルが4％。その他。ＥＶは0・5％でしかない。この0・5％のＥＶが将来の自動車市場を席巻するなどと誰が「創作」したのか？

長距離トラック、バス、長いドライブにＥＶは堪えられない。使用範囲は市内の定番コースとか動物園や観光テーマパーク、世界遺産などの敷地内、工業団地内、通学バスくらいだろう。

こうみてくると「脱炭素」とか「地球温暖化」という不思議な訴えは、その背後に「彼らの利権」が絡んでいることが明らかになる。

クリントン政権下でゴア副大統領が地球温暖化の危機を訴えた。シロクマが絶滅の危機といわれた。ところがシロクマは増えていたことがわかった。サンゴ礁も増えていた。

「地球温暖化」は嘘だった。だが、世界的規模で高校生らが地球を救えとデモ行進、グレタという煽動《せんどう》少女がヒロインとなった。温暖化は怪しいと言うと袋だたきに遭う。正論を叫ぶ言論空間が圧殺されている。

無能な政治しかできなかったオバマ政権は「パリ協定」を拙速に急ぎ、メディアの協力もあって世界的合意にもっていった。

たいへんな事態になることを本能的に予知したトランプ政権は、これを反古《ほご》とした。ところがバイデンは就任初日にパリ協定復帰を声明した。そしてジョン・ケリー元国務長官を気象変動担当の特使に任命し、中国に行かせた。ケリーとはまた、傲慢な人間を指名したものである。

悲劇はまたやってくる。

次の産業は「脱炭素」「EV」「医薬品」、そして

リクルートが銀座の本社ビルを売却した。パソナは本社を淡路島へ移した。川崎重工は年功序列制をやめる。JTBは中小企業にダウングレード、近鉄は8％の従業員を解雇する。HISは79億円の赤字計上。そしてスシローが京樽を買収した。背広、スーツが売れなくなったAOKIや青山は記録的な赤字を出した。

広告業界にも地殻変動が起きていた。

電通、博報堂が売り上げを落とし、リクルートが本社ビルを売却したように、あるいは「巣ごもり」で百貨店の売り上げが3割減（令和3年1月に前月比で29・7%）、東急ハンズが池袋の旗艦店を撤退、外食チェーンは売り上げ21%減だった。だがスーパーは好調だった。このように情勢が変化したため広告はネットへの出稿が激増してマスコミに迫る勢いを見せたテレビ、新聞の広告費は13・5%減の2兆2536億円。とくに新聞は19%減である。逆比例してネット広告はデジタル社会の到来が手伝って59%の増加、2兆2290億円と、マスコミとの差はほとんどないほどに縮まった。2021年には、はっきりとネット広告がメディアへの広告出稿を上回るだろう。

需要が減退したのではなく、需要が変化したのである。

毎日新聞は突如資本金を減資し、41億5000万円を1億円とする。JTB（23億円から1億円に）と同様に「中小企業」となるのだ。

毎日新聞は一度倒産した過去があり、「ドル箱」といわれた聖教新聞を印刷している子会社も資本金を1億円以下にひき下げる。減資で浮いたカネを繰り越し損失補塡《ほてん》に充てる。毎日新聞が三大紙と言われたのは昔の話、2020年10月のABC部数で206万部に減っていた。読売、朝日どころか、日経、中日に抜かれて第5位。社員の1割を首切りしても足りず、竹橋の本社ビルの売却、江東区への移転も検討されているとか。

朝日新聞も部数激減、この10年で200万部の購読数が蒸発した。20年決算は419億円の赤字。朝日は新聞経営が落ちても有楽町マリオンなど多数所有する不動産で持続可能といわれたが所有ビルのテナントが撤退している。社員も将来を見限り、希望退職募集に応募が増えたそうな。独走といわれる日本経済新聞とて、20年度の中間決算は営業利益が46％減。デジタル事業も電子版読者が微減に転じた。

新聞同様な落ち込み、じつは大ヒット連発と思われる週刊文春の部数大幅減である。あれほどスキャンダルの決定的瞬間を速報し、何人もの国会議員やら高官を追い詰めたが、これらの情報は、醜聞報道レベルならSNSで十分というわけで、実物の購入に結びつかないのだ。

週刊新潮が16万9000部、文春砲の週刊文春でも30万部そこそこ。文春本誌たるや芥川賞掲載誌でも20万部がやっとというほどに活字媒体は崖っぷちに立たされている。雑誌の収入は広告だが、これもネットへ流れた。だからいち早く電子版に切り替えたのが週刊現代と週刊ポスト、団塊の世代が熱烈な愛読者だったころは女優ヌード、出世ノウハウや株、不動産投資など金儲けの話題で読者を獲得した。いまや「効く薬」「年金の投資先」「老後の資産運用」の特集ばっかり。週刊誌はスクープを連打しても、それにかけた取材費の回収さえままならなくなった。惨状だろう。

日本の独居老人が厚労省の2019年度調査では736万人もいる事実が判明している。高齢者の19・6%が一人暮らし、７３６万人のうち、男性２５８万、女性が４７９万人と圧倒的に女性が長生きだということがわかる。

産業的に分析すると、介護士、看取り士が増えるのは当然となるが、介護保険や民間サービス、そして住宅リフォーム、老人相談所など、また「一人暮らしを快適に！」とアウトドア志向派は地方の別荘生活を満喫するゆとり組も産まれた。

こうした現象は次の新ビジネスの恰好の標的である。

グリーンエコノミーって何だ

グリーンエコノミーを標榜するビル・ゲイツが全米一位の農地所有者となっていた！

こうした産業の地殻変動は余震をともなう。

日本は「２０５０脱炭素」を宣言した。およそ不可能な夢と知りつつも近未来へアドバルーンをあげたのである。まさに「ダンスパーティで皆が興じているときに、ひとりだけ抜け出すわけにはいかない」のだ。

模索から実践へ。これまでに言われたのはＥＶ、医療設備、次世代半導体などであり、投資家の資金投下が目立ち、ベンチャー・キャピタルも虎視《こし》眈々《たんたん》と新成長産業に注目し、投機の機会が到来したと捉えた。通貨供給量の急膨張と低金利によって世界中にカネ余りが起こり、そうした資金を活用するファンド筋はEVに積極的な投資を展開した。ウォール街は天井を打ち、日本の株式市場も30年ぶりに3万円台を回復した。

ちなみにアメリカの平均家庭は資産を投資信託か株式でもっている。現金預金は14％、株などが45％という配分である。だから株高となれば、消費が急激に伸びる。

日本は逆で個人の金融資産1900兆円の内訳をみると、現金預金（とくにタンス預金が100兆円だ！）と保険が54％、株投資は14％でしかない。コロナ禍の株高はおそらく資金供給拡大によるバブルだろう。だから株式暴落はいずれ必ず起こる。金価格が高値に張り付いているのは、その前兆とみてよいだろう。

新製品が大量にでるが、EVであれ、ゲームであれ、スマホであれ、家電であっても、モノである限り中枢部品に不可欠なのは半導体である。

この半導体が格段に進歩を遂げる。

次期半導体開発は新しい産業界を牽引する基幹部品だが、世界最大のTSMC（台湾積体電路製造）やインテルは強気に設備投資を増やしている。日本のルネサスも注文をさばききれないのは自動車用半導体が供給不足となっているからだ。くわえて2月14日に起きた東北地震で一部工場の操業がとまり、3月19日には主力工場で火災が発生、このルネサスの想定外の事故が重なったため深刻な半導体不足状態に陥った。

くわえて2月末からのテキサス州の大寒波である。このテキサス州大寒波が予測しなかった異常事態を産んだ。サムスンの工場が生産停止となって、クルマ、家電用の半導体が品薄となり、5Gスマホに至っては3割の減産、トヨタ、ホンダは米国の現地工場を休業する事態に追い込まれたのだ。

EVの未来に唐突に暗雲が立ちこめた。

半導体はクアルコム、インテルなどのアメリカ勢を押しのけて台湾のTSMC、韓国のサムスンが二強となった。この二強で世界半導体生産のじつに72％、これに台湾のUMC（台湾聯華電子）を加えると台湾、韓国だけで世界の78・9％を占める。米国インテルすら、もはやTSMCには追いつけず中国が国を挙げてのSMIC（中芯国際集成電路製造）は、TSMCの5年遅れのレベルにある。

半導体製造装置の東京エレクトロンの株価はコロナ発生時から3倍、ルネサスは4倍という急暴騰を示した。

2014年9月に中国政府は「国家集成電路産業投資資金」を設立した。第1期投資資金は1382億元（2兆700億円）。この資金は23の半導体および関連企業の70のプロジェクトに投資された。このうちの67％が半導体メーカー、17％が設計関連、10％がパッケージングと検査機器に、6％が半導体製造装置・材料メーカーだった。

すなわち中国の焦りが「2025中国製造」プロジェクトに具現し、ハイテク競争力強化を企図して新会社の奨励、補助制度が設けられたことになる。それも世界の半導体の60％の消費が中国でなされているのに、製造シェアは15％でしかなく、それまではほとんどが外国からの輸入に依存してきたからだ。

したがって補助金付き奨励策の恩恵を受けようと、だぼハゼのように飛びつく新興企業が設立された。転業を声明するメーカーも現れた。

湖北省武漢市政府は開発区に巨大投資を決断した。その名をHSMC（武漢弘芯集積電路）という。全体で1000億元（1兆5000億円）の投資が発表され、大々的な工事が開始された。株式の90％を北京光量藍図科技という、半導体に素人の会社が保有することになり、第一期工事は完成した。

ところが、この間に米中貿易戦争が激化し、高関税から制裁へとレベルの激変が起こった。米国はファーウェイ、ZTE、テンセント、バイトダンスなどを取引禁止としたうえ、85社をブラックリストに掲載した。軍事に直結する技術において対中輸出を事実上不可能にしようとするのがトランプ前政権の政治的決断だった。

中国にとっての致命傷は半導体製造装置の対中禁輸だった。ただし直前にHSMCはオランダのASMLなどから、およそ300台の半導体装置を輸入しており、工場への据え付け工事は完了していたのである。

2020年8月、HSMCは突如、「倒産」した。出資者の資金が続かなくなったと説明され、武漢市国務院の国有資産監督管理委員会が整理に入った。

同年にはおなじようなケースで、米国グローバルファンドリーが中国の地方政府と合弁の設計会社を立ち上げたが、110億円をかけた工場もろとも倒産した。南京政府のタコマ半導体も320億円の負債を抱えて倒産した。

にもかかわらず、中国政府「国家集成電路産業投資資金」の第2期投資は2019年10月から開始された。資金総額は2040億元（3兆600億円）。

この金を狙った新会社が、じつに4350社も2021年の1月から2月までに登記された。専門家も半導体のプロも不在の、雨後の竹の子の怪しげな新興企業群だが、かれらの狙いは補助金の確保に加えて、上海証券取引所に新設された「STAR市場」（中国版のNASDAQのような新興市場で、20年10月までに185社が上場）に上場しての錬金術だった。

このうち半導体関連企業は27社で、14社が設計、7社が半導体材料メーカー、4社が半導体製造装置メーカー、国家を挙げて取り組む国策のSMICなど2社が半導体メーカーだった。

しかし中国の半導体製造装置は太陽電池、LED向けがほとんどである。たしかに洗浄装置、熱処理装置、リソグラフィ装置、ＣＭＰ装置、イオン注入装置、検査装置メーカーなどは力をつけてきた。

中国がハイテクの中核企業として育成する肝心要のＳＭＩＣの技術は、台湾より5年遅れている。そのうえ半導体設計は英米、製造装置は日米蘭、材料は日本が圧倒的シェアを占めているので、中国がこの先端分野に食い込むには数年以上を要するだろう。

独走を続けるのは台湾のＴＳＭＣである。ところがアキレス腱がある。台湾が渇水に見舞われた折に、焦燥感をあらわにしたのがＴＳＭＣ（張忠謀《ちょうちゅうぼう》＝創業者は台湾実業界の英雄）だった。工業団地の渇水危機に直面したからで、半導体の生産には洗浄過程などに大量の水が必要である。

ＴＳＭＣが世界をリードするのは、最先端の7ナノ技術でインテルを超えたからだ。さらに10年後には5ナノを超えて、3ナノ、2ナノへと進むことは明らかであり、米国がそれを拱手《きょうしゅ》傍観しているはずがないだろう。それゆえに米国はＴＳＭＣに政治的な圧力をかけて最新鋭工場をアリゾナ州へ誘致したのである。

ＥＶ自動車の決定打となるもうひとつの要素は、リチウムイオン電池である。

かつて電池といえば日本のお家芸とされたのにいつの間にか中国、韓国に追い上げられていた。否、追い抜かれていた。これはかつて世界一だった日本の半導体が、米国の政治的意図で

「日米半導体協定」を押しつけられ、みるみるうちに韓国、台湾に抜かれ、いま中国の猛追を受けている状況に似ている。

EV街道を驀進するテスラは、パナソニックと提携してリチウムイオン電池を開発している。アップルも2024年にEVに打ってでるが、電池を東芝と提携するという噂がもっぱらである。死命を制するのは、このリチウムイオン電池の急速充電と耐久性になる。EV参入を宣言したアップルにはビル・ゲイツやベゾスが出資し、すべてを水平分業とする。このなかには日本のSONY、村田製作所などが加わる。

テスラは2020年に50万台を販売し、初めて黒字となった。だから株価は跳ね上がりトヨタの時価総額の4倍、83兆円（2021年3月現在）となって、2030年には2000万台（現在のトヨタ、VWを足した空前の水準を超える）を販売すると豪語している。イーロン・マスクCEOは大風呂敷を拡げる名人でもあるが、宇宙開発やそのほかのベンチャーの成功実績があり単なる空砲だと受け取る向きは少ない。

この自動車電池には中国内でEV用途で急成長し車載用世界首位のCATL（寧徳時代新能源科技）と、ノースボルト（スウェーデン）も参入している。既存メーカーではGSユアサがホンダに、韓国LG化学が欧米メーカーを中心に納入しており、中国のCATLは欧州の他に日本勢ではトヨタ、ホンダ、日産へ。韓国サムスンはドイツ勢のBMW、VWに納入している。

こう見てくると、日本勢の捲土重来《けんどちょうらい》は、電池を国策として国家が支援しての開発補助システムを築くか、あるいは日本の民間企業が勢ぞろいの共同作戦で、「第二のエアバス」の一致団結を目指すシステムに組み替えるか。いずれにせよ決断をする日は目の前に迫った。

また半導体と並ぶ基幹部品は小型モーターとベアリングである。この分野では日本の優位は変わらない。

自動車がEV方向へ流れ始め、ガソリン車仕様の半導体が減少して行く傾向は明らか。日本精工などは家庭用電気製品の部品生産を倍増させる。

フードテックは植物素材から肉や卵を量産するプロジェクトで、パンやおやつ、甘酒パウダーと餅米のピザシート、動物性タンパク質を使わないチーズなど、三十何年前から本格化しているマグロの養殖も技術が格段にあがったとされる。加工食品業界も大きく変貌する曲がり角にある。

IHIなどの基幹産業のイメージから離れて副産物で魚、野菜の栽培に、副産物の酸素を活用する実験が繰り返されてきたが、2023年実用化の目処がたったという。これは水素を造る過程で酸素が生まれるからだ。環境負荷の少ない特性から生産や流通コストが軽減されるため脱炭素につながる。

医療現場ではおびただしい矛盾が発覚した。

国民健康保険や介護保険は財源が限界にきているが、医療と保険の相互関係が、本来の医療目的とは乖離した実情を現出させていた。病床は余っているのにコロナ感染者を受け入れる病院が極端に少なく医師会のやり方に批判が集中した。

これは今後、異常な生命維持装置重点主義、植物人間維持システムの改編につながる方向へ進むのか、どうか。日本経済は転換点、それも歴史的な岐路に立っている。

見えてきた次の産業社会

ここで加藤康子《こうこ》（産業遺産情報センター長）の重要な指摘を紹介したい（「未来ネット・メルマガ」、2021年2月19日号）。

加藤女史は「脱炭素政策は素材産業を日本から追い出す政策だ」として次のように言われる。

「環境と労働に優しくすると社会コストが高くつきます。電力や労働規制、環境規制、税金などの社会コストが高い。マーケットは大きくない。そういう悪条件下で製造業が頑張り続けるのは大変です。

今のまま工場が全部外国にでていったら、政策を一歩間違えれば日本は本当に借金まみれの貧しい国になってしまう。いったん海外に行ったら日本に戻すのは至難の業です。現地で再投資をしたほうが効率のよい場合が多いからです。カーボン・ニュートラル（脱炭素）政策は素材産業を日本から追い出す政策、絶対に避けなくてはいけない。

今の日本政府が地球環境を救いたいなら、まずなすべきは中国の製造業を分散させることであって日本じゃない。CO_2の排出は、中国とインドが主な問題なのですから。

製造業にとって社会インフラ面のコストは人と土地と電力と水です。このうち日本で競争力があるのは水だけです。あとはいろんな規制があって日本で生産するのは諸外国に比べてものすごくコストがかかる。だから企業は、固定資産税をタダにしますよ、電力を安くしますよ、と誘致政策をしいた街に行くわけです。利益は電力や水などの総合的なコストを引いた後のものだから」

次に「製造業は心臓の部分を輸入に頼った瞬間から没落が始まる」として加藤康子は続ける。

「これはＥＶ（電気自動車）と共通ですが、製造業は心臓の部分、船なら主機、車ならエンジン、これを海外からの輸入に頼った瞬間に、その産業は没落が始まります。日本は今まで優れたエンジンを30年、40年かけてイノベーションを起こしてきましたし、今や世界に冠たる自動車製造大国をつくりあげました。それがEVに代わってモーターと電池になると別のビジネスモデルに変えられてしまう。

そもそも（自動車を）百％EVにするということ自体はありえません。電池の産業廃棄物をご存知ですか？　環境にエコじゃない。なのにそれをエコと言い切って進めること自体が、ある意味すごいと思う。ペテンですよ。電池の廃棄物の毒性はすごいですから。イタイイタイ病みたいな公害をまた引き起こすつもりなのかと。有害物質がものすごくでる。電池は基本的に有害だと思わなきゃいけないのです。だって有害物質に依存した物なのだから。

リチウムイオン電池をつくるために、コバルト、ニッケル、リチウムなどの資源が必要ですが、コンゴのコバルトは資源もあと数十年といわれています。レアメタルは経済安保を考えると中国に依存するのは危険です。

『環境』が『金融商品化』して今の騒ぎを作っていることが大問題です。いかに産業を強くするかという産業政策をしていたのだけど、今はいかにお金を流通させるか、投機をいかに呼び込むかという政策をやっていますね。それに乗ると国民が最後はレミング現象（集団で自殺）みたいなことになる可能性があるわけです。

日本の自動車産業がこのままEV推進政策に取り込まれると危険です。カーボンプライシングでEVへの補助金を捻出しようと考えているのでしょうが、税金の無駄遣いでしょう。日本が強かった内燃機関から、中国や韓国が強い電池産業に自動車産業の産業構造を切り替えるという話ですから。

重工業を弱体化させて日本の経済をストリップアウトし、国際競争力のある日本の自動車産業を弱体化させます。カーボン・ニュートラルは、結局日本の素材産業を中国に追い出してしまう。日本で鋼板が作れなくなります。国の予算をかけて何兆円産業を日本から追い出す。そんなことして本当にいいのか！　と誰も大きな声を上げないのでしょうね」

次の投資テーマは何か

コロナ禍が終わると次の投資テーマは何か。さまざまな議論が浮上してきた。話題の中心はテスラ、日本電産、ファイザー、信越化学、住友金属鉱山あたりだろう。

一、地球温暖化、「2050脱炭素」を主要国が目指すと声明したため、それが間違っていようが、いまいが、EV、空気清浄装置、リサイクルなどの関連事業。とくに「EVは今後50年続くビジネスになる」（永守重信日本電産会長）。

また「水素ステーション」の建設も日本政府は前向きに対応し、2030年までにスタンド80万台、水素ステーション900カ所を目標とする。

ＥＶはエアコンの付かない小型廉価版が50万円を切った。高級ＥＶはテスラが４００万円以上と二極分化も激しいが、中国の「国策」による強化推進であるため上海汽車、ＢＹＤ（比亜迪汽車）、広州汽車、長城汽車、吉利汽車、ＮＩＯ（上海蔚来汽車）、奇瑞汽車、理想汽車などが一斉にＥＶ生産に乗り出した。

二、ＤＸ（デジタル・トランスフォーメーション）とくれば、ＡＩ、半導体、半導体設計・製造装置、有機ＥＬなど新素材。

中国は日米欧から盗み出した技術で、飛躍的に生産を伸ばした。ところが他の先進国と異なるのは、すべてが軍事技術に直結していることだ。

それはともかくＤＸに多くの企業が群がり、ベンチャーキャピタルが集中すると次に必ず起こるのは熾烈《しれつ》な価格競争であり、必然的にいくつかの企業は自滅、業界のなかで淘汰《とうた》される運命にある。

三、サプライチェーンの構造転換は設備投資を増強し、自動化が進むため、ロボットはまだまだ飛躍するだろう。運送の人手不足はドローンの改良が必要になる。

トランプ前政権は高関税、ファーウェイ、テンセントなど中国企業の排除、規制強化、ヴィザ条件の締め付け、中国企業のウォール街からの締め出しなどで劇的な改変を見せてきたが、バイデン新政権は、これらの政策を緩和していく方向にある。

すなわちトランプ前政権は可視できるモノ、ハイテク技術の中国への流出を貿易戦争で規制したが、バイデンは「人権」「民主」という価値観、目に言えない概念で中国と対決しようとしているのだ。

四、ワクチンは利益率が悪いので開発メーカーの株価上昇は休憩状態となった。さはさりながら医薬品開発が重要産業であることに変わりはない。中国がこのワクチンを武器に外交戦争の手段としていることには注意が必要である。日本のワクチン開発はようやく4社が治験を始めた。欧米中国との周回遅れも甚だしい。

五、金価格が天井をつけたあとも高値圏で安定している。金備蓄において日本を除く主要国は増やしているが、民間では日本でも投資用に金が買われている。

一方、ビットコインに代表される暗号資産の躍進とデジタル人民元が代弁する既存貨幣価値との関係がどうなるかで、変動関数が複雑化する。この「デジタル通貨」はフェイスブックが「リブラ」を提唱し、主要国の反対で流れたが、新しく「ディエム」の発行計画に改めた。

ＢＩＳ（国際決済銀行）の調査報告では、日米欧の中央銀行は導入に慎重だが、新興国のカンボジアは「バコン」を発行した。実験段階にあるのが中国とスウェーデン（ｅクローナ）。研究が進んでいる段階にあるのが40カ国に及んでいる。中国は２０２２年の北京冬季五輪での使用を想定し、実験を繰り返している。

安全保障の基幹は農業の自給自足だ

ここでビル・ゲイツの動きに注目である。

マイクロソフト創業者のビル・ゲイツが全米最大の農地所有者となっていた。土地所有という文脈では、全米一位はジョン・マロンの220万エーカー、ついでテッド・ターナー（CNN創始者）が200万エーカーを所有し、第三位が、かのアマゾンの創始者ベゾスの42万エーカー（主にテキサス州）。1エーカーはおよそ4047平方メートルである。

ところがビル・ゲイツが投資した土地はすべてが農地で、土地投機ではない。実際に穀物、綿花、牧畜も営んでおり、これらは「カスケード」という専門会社を通じて行われている。最大の所有農地はルイジアナ州で6万9071エーカー、ついでアーカンソー州で4万7927エーカーなど全米18州に24万2000エーカーの農地を保有し、その価値は1210億ドルに相当する。

世界の富豪トップは時価総額があがった「テスラ」のイーロン・マスク、二位がベゾス、そしてビル・ゲイツは三位だが、資産は1320億ドルと見積もられる。近年はバークシャー・ハザウエイのウォーレン・バフェットと組んでの慈善事業団体など社会貢献が目立つ。

ビル・ゲイツの究極の狙いは「グリーンエコノミー」である。農業技術を効率運用して生産を増やし、安全な食の確保を求めてＡＩを駆使する近代的な手法での農作物生産、バイオ技術を使う食の安全向上と、合成ビーフなど、すべてが食糧安全保障につなげるという明確な戦略をもつ。

いかなる産業が興隆するかのシナリオに「帰農」がある。

日本のメディアはテレワーク、地方への移転、ウーバーなどで騒いでいても、食糧の安全性向上と確保には関心が薄い。テレワークによる東京離れで、先端をゆくのは淡路島に本社移転のパソナが挙げられる。農村部への移住は顕著となって、東京近郊は栃木、茨城、群馬、静岡にも及んでいるが、空港が近いという意味では徳島県神山町、和歌山県白浜町、鳥取県米子市などへの本社移転が進んでいる。

もうひとつ注目しておきたいのは「学研」こと、学研ホールディングスの時代環境即応型ビジネスの新展開だ。

この会社、もはや学習参考書や受験雑誌の出版社というより老人ホームの会社になった。「サ高住」（サービス付き高齢者住宅・「学研ココファン」が営業）は全国展開で１５０棟。いまでは売り上げの半分近い。学習塾、教材、学習用玩具などのシェアが減少した。

かつて学習参考書といえば旺文社、学研、ベネッセ（旧福武書店）。いずれも団塊世代が成人し、定年となり、老後を過ごす時代を迎えた。時事雑誌や文庫本にも進出していたが、新生児が90万人を割り込むとなれば、伸びる余地どころか、縮む一方の斜陽産業となる。旧態依然は旺文社のみ。ベネッセも福武書店時代は文芸誌「海燕」や文庫も出していたが全面撤退している。

学研は1300億円あった内部留保が、気がつけば150億円の赤字企業に転落していた。変身せざるをえなかった。だから学研は次の目標を幼児分野（保育園待機児童無しが政策となった）と認知症のケアセンターだとしている。この方向ならおそらく次はセレモニー産業へも進出するだろう。

暴力と不平等の人類史

長期的予測は、未来学が大きく後退し、経済学的社会学による観察に注目が集まってきたため従来の方式が古くなった。

とくにウォルター・シャイデル（スタンフォード大学教授）の書いた『暴力と不平等の人類史——戦争・革命・崩壊・疫病』（東洋経済新報社）が話題となった。「平等」は「戦争」「革命」「崩壊」「疫病」の四つのファクターによる破壊の後にやってくるとする歴史法則的な仮説である。

「戦争」は歴史を変え、「平等」という社会をもたらした。第二次大戦で日本の若者だけでも250万人が戦死し、都市は焼かれ、曠野《こうや》となった。GHQの農地改革と財閥解体で富裕層が落魄《らくはく》した。戦争は軍需産業の栄枯盛衰、軍事技術を民生に転換して、戦後日本は経済成長を遂げた。

「革命」は暴力を伴い、政敵を虐殺し、社会を無謀に残酷に変える。スターリンは数千万を粛清した。毛沢東の「大躍進」と「文革」で、6000万人以上が死亡した。貧富の階級が交替した。

「国家の崩壊」は、アテネ、スパルタが戦争で疲弊したあと、ローマ帝国が台頭し、やがて崩壊した。支配層が消滅し、搾取構造は終わり、生活が向上した時期があった。

「疫病」はペロポネソス戦争(前431~404年)から繰り返されてきたし、カミュが書いた『ペスト』が象徴するように、世界的規模で数千万が死亡した。コロナは全世界で数百万人が死亡する。社会が大きく変わり、投資対象が代わることに間違いはないだろう。

かくして現時点でおおまかに予測できることがある。
●日本は10年以内にGDP第五位に転落しインドに抜かれるだろう。なんといっても基幹産業まで外国に移転してしまったのだから。

かつて七つの海を支配し、世界一だった英国が植民地のインドに抜かれて五傑からはみ出したように、現下の日本はあまりにも活気が稀薄《きはく》であり、「国家百年の計」はどこを捜しても存在しない。一部の政治家をのぞいて国家の長期的ビジョンを語るリーダーは不在である。

GDPランキングは米中日独印英仏伊墨加の順番だが、国防費ランクでは米露中英仏独。日本は埒外《らちがい》である。この衰弱傾向に少子・高齢化がさらなる拍車を掛けるだろう。そのうえコロナ騒ぎに隠れているが、若者の自殺が増えていることは社会の衰えが急速に進んでいることをうかがわせる。

●バイデン新政権が逆立ちしようが、万一、正しい政策を採択するにせよ、相対的に米国を衰弱させるだろう。近くカマラ・ハリス副大統領が昇格という「悪夢」のシナリオがある。

米国の極左グループは究極的にそれが狙いであり、バイデンは前座を務めるピエロに過ぎないとする。この考え方に立脚した左派は準備段階としてネット上でも保守の言論妨害と封殺を行っている。トランプ前大統領の口は封じられた。アメリカの言論空間も左翼の検閲、自由な言論が封殺されたことは唖然《あぜん》とするばかりだが、まさか中国・ロシア、そして香港の悪制が、「自由の国」のはずだったアメリカを襲うとは！

ただしトランプ前大統領は新しいプラットフォームを立ち上げる。1月6日の議事堂襲撃事件以後、アメリカのSNS各社はトランプが煽動したとして、すべての利用を禁止して、言論を封殺した。言論の自由が保障されていたはずのアメリカが全体主義に陥落した。それも永久停止である。

トランプ前大統領のメッセージ発信はツイッターのフォロアーが8800万人だった。ついでフェイスブック、インスタグラム、ユーチューブ、少数のツイッチとか、スポティファイもトランプのアカウントを閉鎖し、唯一残存した保守系のパーラーもメッセージの発信ができなくなった。まさに言論弾圧だ。

SNSの情報空間が左翼に乗っ取られているからで、理由は「ヘイト」に結びつくからだとした。左翼の戦略はトランプが二度と政治的に立ち上がれないように、発言を国民に届かないように封じ込めるのだ。

この言論弾圧は、まるで中国や北朝鮮と変わらない。ロシアですら、プーチンを批判するメディアはちゃんとあるというのに。

業を煮やしてきたトランプ陣営は、数回の会合を側近と重ね、「2カ月から3カ月以内に新しいプラットフォームを立ち上げる」とトランプ側近のジェイソン・ミラーがFOXテレビのインタビューに答えた（3月21日）。

日米対話は成功、米中対話は失敗

ブリンケン国務長官とオースチン国防長官がそろって来日し（2021年3月16日）、日米2+2が、じつに7年ぶりに東京で開催された。

メディアは大物閣僚二人の初めての訪問先が日本であり、アメリカは日本をそれほど重視していると手を叩いて喜んでいた。しかし日本訪問後、二人は訪韓し、ブリンケン国務長官は帰路、わざわざアラスカに寄って、中国の外交トップ二人を呼びつけ米中外交トップ会談を行った。中国は楊潔篪国務委員と王毅《おうき》外相がアラスカに飛んだ。とはいえ中国の外務官僚のトップには最終決定権はなく、軍の代表が来ないのは鼎《かなえ》の軽重を問われる。事実、米中対話はけばけばしい罵倒の連続で物別れに終わった。これで習近平の訪米は遠のいた。

3月の全人代で事実上の制服組のトップである許基亮《きょきりょう》（軍事委員会副主席。空軍上将）は「トゥキディデスの罠」に言及した。昨秋の五中全会でも許基亮は、「能動的な戦争立案」と発言し、台湾、ならびに尖閣、南シナ海をめぐる緊張に直面した中国人民解放軍が「戦って勝てる軍隊」の実現を目指すと発言している。

別の視点からみると米国の即断不能状態はやはりバイデンにある。耄碌《もうろく》激しく、プーチンを

「人殺し」と決めつけたり、カマラ・ハリス副大統領に「大統領」と呼びかけたり、搭乗する飛行機のタラップで2回転んだり。

バイデン大統領は人前にでたくないのだ。「引きこもり老人」の耄碌と認知症がばれるからで、なんと外国首脳とのオンラインか電話会談はハリス副大統領が代行しているのである。

むろん、挨拶程度の電話会談ならバイデン大統領も欧州首脳、日本などと行ったが、実質話を詰めたのはハリス副大統領で就任から50日の間に6カ国の首脳と会談し記録的である。

ルーズベルト（FDR）は死にいたる病にあっても、当時はテレビがないので新聞発表の写真で健全さをアピールできた。往時、事実上アメリカ政治を牛耳っていたのはFDRを囲んだ左翼の側近たちだった。まさにFDR政権末期に酷似するバイデンの引きこもり、アメリカは大丈夫か？

●イーロン・マスクが「高転びに転ぶ」日がくるだろう。

国際的には「2050　カーボンゼロ」に向かって突っ走っているが、中国のEVプロジェクトは早くも息切れがでており、後追いのGMもフォルクスワーゲンもEVで失敗するだろう。3月に発覚した事件とはGMの発注が架空だったという市場操作である。EVブームを盛り上げてGM株価をつり上げようと代理人が仕組んでいた。

ということはトヨタのHVが主流を回復するのではないか。

かといって日本経済の復活シナリオは、現状を分析する限り描きにくいだろう。EVで脱炭素、電力逼迫《ひっぱく》などとなると鉄鋼、造船は衰弱死を迎えるのだが、当事者以外、あまり心配していないようだ。産業のコメ＝半導体についても日本のメーカーが米台韓の半導体下請けからはい上がれるか、どうかの岐路に立っている。

●また「2035年にGDPでアメリカを抜く」と予測されている躍進チャイナだが、客観的なデータを分析すると社債デフォルト、外貨減少などで中国は息切れ倒産。ネット全体主義の死角があることが判然としてきた。

中国金融当局の中枢にいるエコノミストが爆弾発言を繰り出している。すなわち「GDP成長率の数字より、債務の膨張こそ懸念材料だ」と警鐘が鳴らされている。

2020年度の中国のGDPは2・3%だそうな。2021年度のGDP目標値は6%を上回ると全人代で李克強《りこくきょう》首相が豪語した。中国政府はGDP堅持のために無謀な財政出動と、土木建築、インフラ整備に巨額を注ぎ込む一方で、各種補助金てんこ盛りで対応している。その実態を伏せて、中国経済は「V字回復」とうそぶいてみせる。

「GDP成長率など、永久に葬れ」と中国のシンクタンクの会合の席（中央経済工作会議および当面の経済形態分析討論会）で、中国人民銀行の馬駿《ばしゅん》・貨幣政策委員会委員が発言している。

「ＧＤＰを経済成長の目標値とするのは、中国経済の実態を反映していない。ＧＤＰ数値は作為的であり、財政支出を合法としているだけだ。地方政府債務、金融市場における（社債デフォルト、銀行倒産などの）実情を見れば、成長とは裏腹に、債務が急膨張している」

こう真摯《しんし》に訴える馬駿は２０２０年12月18日の『証券時報』のインタビューでも、地方政府の資金調達事業体（ＬＧＦＶ）破綻にともなう「システミック・リスク」を防ぐため措置を講じるよう当局に促している。すでに頻発しているデフォルト（債務不履行）が市場の信頼感を損ねれば、「連鎖反応」が起きる恐れがあると馬駿は深刻な警鐘を鳴らした。

馬駿は中国を代表するエコノミストの一人で、ダボス会議でも発言のたびに欧米の経済ジャーナリストが注目を集めた国際的に有名な存在である。

ビットコインは法定通貨ではない

２０２１年2月16日、暗号資産の代表格「ビットコイン」が瞬間的に5万ドルを超えて、全世界の関係者が吃驚《びっくり》した。17日には5万２０００ドルを更新、3月には6万ドルとなった。この突発的大暴騰は2月8日にテスラが15億ドルのビットコイン投資を発表し、また支払い手段としても受け入れると発表したことによる。

暗号資産市場は大荒れになっており、主因は主要国の放漫というべき財政支出と低金利からデジタル通貨への期待が高まったからだ。法定通貨とは法律によって強制通用力を持つ貨幣で、認められている電子マネーは三種。すなわち前払い、即時払い、後払いだ。ビットコイン他はブロックチェーンの暗号資産で、通貨の範疇《はんちゅう》には入らない。ビットコインと基軸通貨ドルの為替市場はありえない。またデジタル通貨は全体主義国家のシナとかカンボジア、パナマのような小国でのみ可能だ。

デジタル通貨とは人民全員が中銀に口座を保有することを意味する。国家が国民すべての財産も管理する。ということは全体主義である。

インド中央銀行は暗号資産取引、保有禁止を考慮している。

いちど2018年にインド中央銀行は「暗号資産の取引、保有禁止」を通達した。ところが2020年3月にインド最高裁は、この通達を無効とする判決を出した。中央銀行（正式には「インド準備銀行」と呼称し、東パキスタンがバングラデシュとして独立するまでも、同国の中央銀行として機能した）は、民間が通貨を発行することは主権を脅かす脅威であるとして、依然として暗号資産の取引と保有の禁止を考慮中であることがわかった（『ザ・タイムズ・オブ・インディア』、2021年3月15日）。

「安全保障の見地から考えても、暗号資産はテロリストの軍資金の移動や暗黒街の資金洗浄に使われており、不正な資金移動が世界的規模で起きる（げんに起きている）」「そうした暗黒ルートを突き詰めることは不可能といってよい」と国家安全保障上のリスクをあげ、中央銀行は最高裁決定を不服として、インド政府そのものに最終決定を迫る手筈《てはず》という。

金本位制を放棄した主要通貨（ドル、ユーロ、スイスフラン、日本円）はいずれ暴落の危機に晒《さら》されるだろう。

ビットコインなどの暗号通貨（日本のメディアは「仮想通貨」と書いているが、欧米は「暗号通貨」である）をめぐる詐欺、そしてサイバー攻撃による暗号資産強奪事件も頻発している。犯人は「ビーグル・ボーイズ」（北朝鮮のハッカー集団）だ。国連報告書も、「交換事業者へハッカー攻撃を仕掛け3億ドルを奪った」と明記しているという。

かつて英国の病院などのコンピュータシステムを襲い、身代金がわりに支払いをビットコインで要求したのが「ワナクライ」と呼ばれ、中国遼寧省丹東を拠点とした北朝鮮のハッカー部隊が犯人だった。

ビーグル・ボーイズの手口は「チェーン・ホッピング」（次から次へとルートを隠蔽《いんぺい》しつつ、最後には信任の厚いビットコインと引き替える）と呼ばれる。

具体的には北朝鮮のハッカー部隊が盗んだ通貨をほかの仮想資産にすぐに交換し、追跡を困難にさせていたと国連報告者も分析している。その最後の部分に、「割引価格で、中国の取引業者で換金している」と国連報告は言う。つまり「プロトン・トークン」などを盗み、「イーサリアム」や「ビットコイン」と交換していた。そうした暗号通貨を資金洗浄し、割引で引き取るという闇市場が中国に存在することも注目しておくべきだろう。

１９３３年4月5日、アメリカは大統領令で、国民の金保有禁止を宣言した。そのうえ同年5月1日までに手持ちの金貨、金延べ棒、金証券などをすべてトロイオンス当たり20・67ドルで政府に売却せよと命じた。

アメリカ国民は大統領令に唯々諾々と従って、保有してきた金を国家に収めた。その結果、ＦＲＢ（連邦準備制度）の金準備高は８１３４トンになった。これは「強制的に国民から買い上げた」ものであり、すぐにＦＲＢは固定相場を35ドルとした。しかも、この金保有禁止令は１９７４年12月31日、ジェラルド・フォード大統領の解禁命令の署名まで続いた。

それゆえアメリカ人は金投資をしないのである。金の需要は中国、インド、中東で根強いものがあり、それらは自国通貨を信用していないから起こる自然現象とも言える。

金投資については延べ棒より、スイス、豪、カナダ、オーストリア政府が発行するコインが便利だが、中国のパンダ金貨は純度が99・9％しかなくて国際基準（99・99％）を満たしていない。

コロナ禍を奇貨とした産業がある

武漢コロナは世界経済に大停滞を運んだが、その厄災の悪影響は甚大このうえない。世界各地でロックダウン、巣ごもり、飲食店やインバウンド業界の大量失業だった。

一方、テレワークの大流行はズームやライン、関連家電の大量消費が起こり、ズームの利益増は90倍。外食に代わって出前（ウーバー）、そして巣ごもりの娯楽は映画となりネットフリックスの会員は2億人を突破した。スマホゲームも大当たりでディーエヌエー、ガンホー、ミクシーは大幅な増益、とくに『鬼滅の刃』との連携で業績を伸ばしたガンホー・オンライン・エンターテイメントの純利益は20年第４四半期に48億円となった。

在宅勤務はビジネススーツ需要を減らし、マスクは化粧品需要を変質させた。青山商事は売り場を半減させ、空きスペースにコンビニなどを誘致する。反対にカジュアル衣料、スポーツ関連が伸びた。ユニクロも空前の売り上げとなった。

ファミレスのひとつサイゼリヤや居酒屋チェーンのワタミは赤字転落で後者は83店舗を休業させた。マクドナルドや吉野家などは黒字。巣ごもりはインテリア充足という需要が起こり、ニトリは空前の利益をあげた。

「需要が減ったのではない、変質した」のである。

典型例は新聞が紙からネットに移行しつつあることだ。紙媒体の新聞は2000年に日本全国で5320万部だった。2020年に3529万部に減っていた。35%減である。スポーツ新聞の落ち込みはさらに激しく630万部から263万部へと58%もの激減ぶり、この波長を短絡的にグラフ化すると2031年に紙媒体の新聞はゼロとなる。

筆者は昭和40年から3年間、朝日新聞を配りながら大学へ通った。その専売店の配達受け持ち区域全体で3300部、ほかに英字紙、週刊誌、グラフ誌にスポーツ新聞を配っていた。15年ほど前に店主に聞くと、2200部に激減したと嘆いていた。理由は学生下宿がほとんどなくなったことととされた。筆者は朝日新聞のリベラルな偏向報道を嫌がられてのことと解釈していたのだが、店主によれば、「それは違う。学生が新聞を読まない。一般家庭でも新聞を購読しなくなったからだ」と言った。なるほど速報ではテレビニュースにかなわないが、分析的な報道解説は新聞を読まないとわからないのではないかという考えはいまや古く、ネット情報で十分、ニュースはテレビで代替されている由である。そして当該専売所は他人に経営をゆずった。

こうなると、読書の形態も激変するだろう。すでに小説や漫画をスマホで読む時代、書店は次々に店を畳んだ。わが町内に家族経営の小さな書店が4、5軒あったが、すべて閉店した。

近くのビルにあった中規模の書店も畳んだので新宿、高田馬場、池袋、神田の大型書店に行かざるをえなくなった。かと言って、ベストセラーと漫画本が中心だから品ぞろえが悪く、結局、アマゾンで探して購入する。出版点数は増えているが、紙媒体の書籍がネットに代替されたわけである。需要は減っていないのである。

街の辻々にあったタバコ屋、酒屋、茶屋はことごとくコンビニに移動した（というより多くはコンビニに業態を変えた）。そのうえ酒はカクヤスの配達網が主力となり、文房具はアスクルなどがコピー用紙を配達する。ホッチキスや鉛筆、ボールペン、封筒、ノートといった日常的文具はコンビニか百円ショップに移行した。デパートの文具売り場は贈答用の高級品に特化している。

ＳＮＳの急速な発達とネット社会への変化は、街からゲーム店を激減させ、喫茶店はタリーズ、スタバ、ドトールなどのチェーンが主力となった。パチンコは横ばいから下降傾向にあり、カラオケは自宅セット。このようなスタイルの変貌は今後も延々と続くだろう。

実際に貿易実務に関しても、業界のいう「コレポン」（コレスポンダンス）というのは通信、交渉のやりとりのことで、昭和四十年代までは英文タイプ、航空便が主力。急ぐときは国際電話だった。通話料が高いので、会話の内容をいちど紙に書いて、早口の練習をして、それから電話をかけたものだった。

昭和五十年代にはいると通信の主力はテレックスに置き換わった。テレックスは特殊技能を要したため貿易会社を経営していた筆者は、当時のKDD研修所に1週間通って講習を受けた。以後はほとんどがテレックスによる交渉で、どんなに節約しても通信費は1カ月に10万円ほどかかった。次がFAXとの併用だった。

いまやこれらの通信機器は過去の遺物であり、すべてがパソコンで通信し、交渉し、取引となる。ネットがビジネス形態を変えたのである。フィルムカメラが骨董品となったように英文タイプライターにも黴《かび》が生えた。

したがって出版業界もまた新聞同様に、紙媒体はさらに急減するだろう。とは言っても古代からの図書館を思い浮かべるように書籍は後世に残る。ネットの文献を残すには、やはり紙に印刷して保存することになる。漫画や風俗小説は書籍化の必要もないが、古典は残るのである。

雇用地図にも激変の嵐が吹いている

雇用状況にも地殻変動的な動きが表面化した。

長大重厚の象徴であり、日本的経営の終身雇用、年功序列を謳《うた》ってきたIHIは社員8000名の副業を認めた。

この「副業の制度化」は日立、日本製鉄、JFE、日産、ホンダなどを例外に、三菱ケミカル、三井化学、ダイハツ工業などは取り入れている。典型は三菱重工の余剰社員をトヨタ車体が「出向」というかたちで引き受けたように、雇用の移動が起きている。

近代日本経済史で、このような事態の出来《しゅったい》はなかった。花形と言われたANA、JALは国際線が事実上止まり、国内線も大幅減便となって、余剰人員を関連産業へ派遣した。業界ではJAL・ANA統合プランが噂されている。あげくに三菱重工系列の三菱重工工作機械は新興の日本電産が買収する。

観光旅行はGo Toキャンペーンで瞬間的な回復の兆しがあったが、1月にでた緊急事態宣言が3月末まで延長され、飲食店は悲鳴を挙げた。自粛は再延長されて長引き、ビジネス出張もテレビ会議で代替するようになった。国内のホテルは4割減。新幹線も飛行機もガラガラ状態。旅客機は貨物輸送に振り替えている。居酒屋は朝から飲める店が増え、夕方も午後4時には開店する店が増えた。

とくにインバウンド業界が深刻である。温泉旅館は閉鎖が目立ち、受け入れのガイド、旅行代理店は閑古鳥が啼《な》き、花形だったJTBもHISも世界の支店の多くを畳んだ。

有名な観光ホテルは休業状態、「天皇のお宿」を含む老舗のいくつかは廃業が続き、あふれでた失業者の群れは、この先の人生に不安を増大させる。外食産業と言えば居酒屋、ファミレス、牛丼、トンカツ、回転寿司などだが、合計で480万人の雇用があった。2020年3月時点でまだ営業を続ける店も、じつに37%が閉店、もしくは休業を考えているという。銀座は灯が消えている。筆者の周辺でさえ、なじみの居酒屋、寿司、天ぷら、蕎麦《そば》屋が休業している。スナックの何軒かは廃業した。

これらはコロナがもたらした地獄図の表面だけの動きである。

産業構造的な大改変は大きな災害のあとに行われるインフラ投資だが、阪神淡路大震災では「新長田駅南地区」の大開発が推進され、立派な複合ビルや商店街が完成した。ところが商店街はいまもシャッター通りである。

東日本大震災では、駅や病院の周辺に住宅地、商業施設などを集約したコンパクトシティの建設、仙台空港の民営化や東北薬科大学に医学部が新設された。仙台は一時建設ブームに沸いて、関東からパブや風俗産業まで移転したほどだった。

「ポストコロナ」のインフラ建設の青写真はまだ提示されていない。

コロナ禍は不動産業を大きく揺さぶった。テレワークとなれば、都心のオフィスビル需要が急減し、有名ビルもテナントが埋まらず値下げになる。ビジネスホテルはテレワーク専用ホテルとして集客をはかる。

そうなれば、都心を捨てて近郊都市への本社ならびに住居移転が顕著となった。

オフィス空室率が急上昇し、タワマンは斑模様《まだら》となっている。現在都心で建設が進む複合ビルは2026年ごろまでに竣工《しゅんこう》がピークを迎えるので、なお一層の空室が予測されている。週一回程度の出勤ですむ職種の人は新幹線通勤などに切り替え、残りの日々は田舎でのんびりできるとばかり、大規模に本社移転をやってのけたのがパソナだった。

本社を淡路島に移転し、将来は1万人の雇用をめざすとして、現時点（2021年4月）で、常務6人が常駐、南部靖之社長自身が東京へ月1回しかこないという。地理的にも淡路はイザナギ・イザナミの国づくりによって最初に生まれた島であり、島央にイザナギ神社がある。自然に恵まれるから密着密集の心配は無用、そのうえ神戸まで30分、空港は神戸、伊丹、関空に徳島と4つが近距離にある。このパソナの決断は次を占う象徴的な出来事になるだろう。

この傾向は米国でもっと顕著である。

西側は中国に完璧に騙されてきた

レーニンは「奴らは自分を吊るすロープを自ら売りにきた」とすこぶる示唆に富んだ言葉を吐いた。

トランプ政策で多少の変化はあったものの、中国の対米輸出黒字は2018年が4195億ドル。それが2020年に3108億ドルに減ったに過ぎないのである。

アメリカも日本も、すっかり中国に騙されて技術を開陳し、中国の技術向上のため協力を惜しまなかった。ふと気がつけば、中国はこれらすべてを軍事力向上に転化していた。いまやGDP世界第二位ばかりか軍事力でも欧米、ロシアに次ぐ軍事大国となっていた。

日本製鉄は最新鋭の鋼板技術（電磁鋼板）を中国に供与した。善意を以て日本がいくら高付加価値品を開発しても、すぐに中国に技術移転され、そこに中国政府の産業補助金制度が有効に機能してダンピングが始まり、競争力が無力化するのである。

善意による貢献は、ほどほどにしなければいけないという見本である。

日本の製鉄は脱炭素完全実施となると廃業せざるをえなくなる。そこで石炭を使わずに水素で製鉄するというのが世界の高炉業界の合い言葉となっているが、膨大な設備投資が必要である。

製鉄は中国が粗鋼生産で世界一となったが、高性能の自動車鋼板は真似ができないと思いきや、すでに悪影響が跳ね返り、トヨタが中国産の自動車鋼板を使いだした。

日本の製鉄産業は君津や福山で、いずこも高炉を減らし、大量の労働者が解雇の対象。いまや深刻な事態なのである。

近年の経済成長は、モノの生産は海外に頼るということを前提とし、サービス業に偏重することで成り立っていた。しかし今後は国家成長の舵取りを食糧生産およびモノづくりを中心とするものに切り替え、国は国家成長モデルの組み替えを示すべきであろう。

第二章

バイデンのアメリカは衰退へ

耄碌、認知症の大統領が世界を牽引

アラスカ州アンカレッジは、北京とワシントンの中間地点。なぜ米国はこの地を米中対話の会議場に選んだのか？

それはアメリカに中国の外交トップを呼び寄せるかたちに拘ったからだろう。会議を持ちかけてきたのは中国側だった。

米国は中国全人代の終了翌日に日米豪印の4カ国首脳会議をオンラインで開いた。ついで日米2＋2を開催するため2閣僚を日本に派遣した。そのうえで3月18～19日の米中対話を終えるや、菅首相をワシントンに招くという周到な段取りを組んだ。

しかも日米2＋2の共同声明で中国を名指しすること4カ所。尖閣、台湾、香港、そしてウイグル自治区の人権弾圧に拘わる文言を明示した。中国を刺激してあまりあるが、北京はただちに「日米がグルになって中国の内政に干渉した証しだ」と強硬に非難した。

アラスカの米中対話を中国は「戦略レベルの対話」と意義づけたものの、ブリンケン米国務長官は「戦略対話ではない」とあっさり否定した。

米中対話は2日間にわたって合計9時間行われたが、共同声明はなかった。ブリンケンは「罰を受けずに好き勝手に振る舞えると中国が誤認しないように立場を明確にする」と事前の記者会見で表明していた。

楊潔篪国務委員と王毅外相という中国の外務官僚のトップが米中対話に臨んだものの最終決定権はなく、軍の代表が来ないからには会談の意義は薄い。

しかし中国共産党百周年を間近に控えて、中国外交トップは京劇の役者を演じなければならない。冒頭から大荒れとなり、中国が「客をもてなすには失礼、外交礼儀にかなっていない」と楊潔篪は京劇の俳優のように先制攻撃の口火を切った（しかし楊の家族はＮＹの豪華マンション暮らしである矛盾を米国は知っている）。

ブリンケン国務長官は「新疆、香港、台湾問題に加え、米国へのサイバー攻撃、同盟国への経済的な強要行為を含む中国の行動に対する米国の深い懸念」を表明するや、楊潔篪国務委員（政治局員）はひとり2分の発言時間という規則を最初から大幅に無視して15分の演説、「内政干渉するな。米国でもマイノリティー（少数派）の扱いがあるではないか。米国は軍事力と金融における覇権を用いて影響力を広げ、他国を抑圧している」とし、「国家安全保障概念を悪用し、貿易取引を妨害し、ほかの国々が中国を攻撃するよう仕向けている」と喚いた。

冒頭から喧嘩腰の乱雑な言葉が中国側から発せられ、対話と言うより罵《のの》り合戦、ま、予測されたこととはいえ、中国側の楊潔篪と王毅外相にとっては京劇の見せ場なのである。楊はかつて国連演説で日本を激しく罵って習の歓心を買い、政治局員に出世した。そのやり方をじっと見てきた王毅外相も俄然《がぜん》、張り切って熱演する。夏の共産党創立百周年大会と秋の第六回中央委員会総会で、王毅は出世階段を登ろうとしている。発言は北京の習近平に向けられている。

この外交トップの激突は反作用を産む。

中国はロシアのラブロフ外相を北京に招いて懇談した。風光明媚《めいび》な桂林で行われた中露外相会議で中露同盟強化を謳ったが、ロシアにとっても絶好の演出効果をあげた。

前述のようにバイデンはまた耄碌が進み、ハリス副大統領を「大統領」と呼びかけ、プーチンを「殺人者」と罵倒した。プーチンは「自分の鏡を見てから言え」と反撃した。またプーチンは「生中継で米露首脳会談を行おうではないか」と提案したところ、ホワイトハウスは「大統領は忙しい」と理屈を述べて、この生中継会談を逃げた（本当は閑なのにね）。

米国の外交的失敗は目に見えている。戦略的思考に立てば、中国を包囲するのだから、ロシアを味方にするのが軍略である。中国の背後をつけるロシアとは多少の譲歩をしても、とりこむ必要がある。しかし米国の歴史を鑑みれば、いつも敵と味方を取り違えてきた。米国は新たにロシア高官の何人かを制裁し、在米資産を凍結するとした。むろん中国に対しても香港弾圧に関与した中国共産党の幹部を米中会談の直前に追加制裁している。

ところで大統領専用機は、アンカレッジからただちにワシントンへ引き返し、ジョージア州の銃撃事件慰問のためにバイデン大統領を運んだ。搭乗の際に、バイデンは階段で2回も転んで失態を演じたことをメディアは写真入りで報じた。

もう一機の大統領専用機は何処へ？

オースティン国防長官は、ソウルでブリンケンらと分かれ、ニューデリーに飛んでいた。同国防長官はインドのモディ首相らと会見し、同盟関係の一層の進展と日米豪印の「クアッド」の強化などを話し合った。インドは歓迎ムードにあふれたが、インドとの軍事的絆の強いロシアは、これを警戒した。ついでオースティン国防長官は、アフガニスタンを電撃訪問した。

バイデン新政権、泥沼のスタート

バイデン大統領は就任からわずか1カ月の短期間に、53本もの大統領令に署名した。異例の措置は議会承認を得ないで突進する姑息な政策変更でもある。

パリ協定への復帰、イラン核合意交渉の再開、WHOへの復帰などは予測された。

バイデン大統領はトランプ路線を根底的に覆しているが、静かに「武漢コロナ」「中国ウイルス」と呼ぶことを禁止した。こうなると、スペイン風邪、香港風邪と発祥地で呼称したことも否定する？

そのうえで、孔子学院と公務員の接触を禁じたトランプ政策を一転させ、ＯＫとした。中国の文化的間接侵略を容認することと同義である。ところが、孔子学院の閉鎖規制緩和は「誤報だった」とホワイトハウスは修正した（2月24日）。これはミット・ロムニー、マルコ・ルビオら上院議員4名がバイデン大統領に対して孔子学院への規制強化を施行する要請をしたタイミングででてきた訂正で、政権引き継ぎが円滑に行われなかった経緯があるため誤解が生じたとした。

同日に上院指名公聴会で証言したバーンズＣＩＡ長官（元国務副長官）は、「孔子学院は中国の浸透工作拠点であり、リスクであり、米国の教育機関に重大な警戒をよびかけ、『もしわたしが学長なら孔子学院は閉鎖だ』」と言明した。バーンズは一時期、次期駐日大使を噂されたこともある。

バーンズの指名承認は3月17日まで遅れたが、中国を「権威主義的な敵対国家であり、中国に打ち勝つには数十年を要するだろうが、それが米国の安全保障の鍵となる。侵略主義的な中国の執行部は地政学的な挑戦をなしている」と、なんだかトランプ政権と同質のタカ派ぶりを示して、上院をなだめて承認してもらったのだ。

前後して孔子学院で講演し、中国を礼賛した前科のあるリンダ・トーマス・グリーンフィールドの国連大使指名が78対20で承認された。リンダは黒人女性でリベリア大使、国務次官補などを務めてきたが、すっかり立場を変えて、「中国に甘い考えはまったく抱いていない。中国は国連機関の多くで権威主義的な計略を進めている」と非難した。

全米の大学教授連盟は、およそ100の大学にある「孔子学院」の実態を調査するため12校を選択し、カリキュラムの内容、契約の条件、透明性、知的自由度、強制条項など多くの項目の調査を行った。この結果「ダライ・ラマを話題にしてはならない」など多くの禁止項目が含まれており、結局「孔子学院」は中国政府の宣伝機関でしかないと報告した（『ナショナル・インタレスト』誌、2021年3月21日付）。

2019年の議会調査局報告によれば、およそ70％の大学が何らかの名目で中国から資金援助、寄付を受けている。またCSSA（中国学生学者連合会）によれば、在米中国人留学生は大使館か、近くの領事館に登録し、報告しなければならない義務があるという。とくに報告で注目されたのは、大学の講義で中国に不都合な内容に触れると中国人留学生が学校当局に圧力をかけるのだという。とりわけ台湾の独立をめぐる問題などが対象だった。

トランプ政権のときに閉鎖したヒューストンの中国領事館はスパイの巣という噂だった。2020年、米国連邦政府教育省は全米の大学への中国からの寄付、献金、協力金は合計10億ドルに達するとした。しかも「この額は公開された分だけだ」と発表した。

2020年2月にハーバード大学のチャールズ・リーバー教授が「中国からの報酬を大学に

報告していない」として脱税で起訴された。

FBIはその翌週にもシャオジン・リー夫妻を同様の容疑で起訴した。リー教授は米国籍だが、2012年から18年までに中国の社会科学院から調査協力費などとして法外な報酬を得ていたことがFBIの内偵で突き止められていた。アメリカの特許、ハイテクの情報、そして頭脳流出は、このように進んでいた。バイデンは孔子学院の処理をどうするのか、まだ明確な対策の発表はない。

日本でも或る大学で某教授が「中国」を「シナ」と一貫して呼称して講義を続けたため、留学生の抗議が集中し、退任させせられるに及んだ。同様な事件はかなりの日本の大学でも発生している。

ウイグルの人権問題は長期化する

ウイグル族弾圧に対して、バイデン政権はむしろトランプ以上に関心が深いため一段と中国制裁強化の方向に傾いた。

対して中国は絶妙とも巧妙とも言える反応をしている。

全人代終了直後の3月15日、汪洋《おうよう》（国家副主席）は新疆ウイグル自治区視察に出かけ、ウルムチ、カシュガル、ハミ、トルファンを巡回、工場などを見学した。またウイグル人の民家も訪問し、談笑している写真を人民日報などが報じた。薄気味悪い談笑風景だ。

続いて3月19日、公安部長兼国務委員の趙克志《ちょうこくし》（中央委員、前貴州省書記）が同自治区を訪問し、主に生産大隊、監視所、訓練基地を視察した。いずれも陳全国《ちんぜんこく》・新疆ウイグル自治区書記が同道した。

ネットで炎上したのは「新疆ウイグル自治区で生産された綿花を使用しない」とした欧米メーカーの製品不買運動だった。その陰湿な嫌がらせはH&Mに続き、NIKE、アディダス、バーバリーの不買運動になった。

ナイキは「新疆ウイグル自治区に関係する強制労働の報道を懸念している。ナイキは当該地区の製品を調達していない。また契約先も当該繊維やスパン糸を使用していないとの確認を得た」としたためネットが炎上した。

新疆の綿花は「生産大隊」が大規模な農園経営方式で、大量に栽培し、綿糸から製品までの工場をもち、また輸出にも手を出している。

生産大隊は革命後に派遣された食いっぱぐれ軍人たちを主力に組織され、多くの娼婦も連行して現地に根付かせたため、豚の養豚から農耕、農作物を総合的に生産する第二軍隊の機能をもつ。一説に旧国民党の軍人が多かったともいう。

新疆ウイグル自治区はもともと東トルキスタンという別の独立国家だったが、天然資源に恵まれ、石油、ガス、稀少金属、石炭などが豊富である。

これら貴重な資源を漢族が横取りしての経営である。すべてを漢族が中心となっている生産大隊の拠点は水資源に近く、豊饒《ほうじょう》な土地を生産大隊が占拠している。先住のウイグル族が不満を募らせるのは、こういうやり方にも原因がある。

米国は中国制裁の一環として新疆ウイグル自治区の奴隷工場や、人権無視の強制労働の疑いのあるメーカーとの取引を禁止するとして、昨年11月には厳格に施行した。アパレルメーカーの多くが、じつは中国産綿花を使用していた。

こうして新疆ウイグルの綿糸問題が世界のアパレルメーカーに予期せぬ不買運動をもたらしたが、新しい危機が予感されるのは「人権じゃない。人絹《じんけん》だ！」とのスローガンである。

森林資源保護を環境団体は以前から木材の乱伐を問題にしてきた。フィンランドやカナダなどで、環境保護団体の活動は活発である。その結果、生じた森林の放置が逆に世界の自然環境に異常をもたらしている。そして矛盾するかのように環境団体は人権団体と共闘して、ウイグルの人権問題を取り上げ、中国の弾圧をジェノサイドと定義し、経済制裁する世界政治の元締めともなった。

ウイグル自治区で生産される綿花は、ユニクロ、H&M、アディダス、NIKEなどの製品となって世界的なベストセラー。これらのメーカーがウイグル問題に口をはさんだため、中国では不買運動に発展したことは述べた。

世界の繊維製品は（1）ポリエステル、（2）コットン、（3）レーヨンである。後者のレーヨンは1838年に仏科学者のアンセルメ・ペイセンによって発明され、19世紀後半から出回るようになった。

次の問題は、この人絹（ビスコース・レーヨン）である。かつては日本の東レ、旭化成など世界的なメーカーもあったが、日本の森林資源保護、林業の衰退により海外へ工場を移転した。レーヨンは森林資源、つまり木材をパルプとして化学処理によってつくられる人工の絹である。絹糸の世界的大手の90％がじつは新疆ウイグル自治区に集中している。インドのアディチャバーラは出荷量で世界一だが、全体の量産では中国である。ウイグルで起きているジェノサイド、中国への制裁、そして生じてきた大問題は、綿花と人絹のサプライチェーンが崩壊に直面するのだ。

一方で、欧米では北京五輪ボイコットの声がますます高まっている。

ブリンケン国務長官は「米国は2022年から3年間任期の国連人権理事国に立候補する」と言明した。「平和と安定に不可欠な民主主義と人権を外交政策の中心に据えている」と強調したのだ。アメリカ世論が中国における人権の改善がないのなら2022北京五輪ボイコットを叫ぶ背景に適応した政策である。

外野席でもHRW（ヒューマンライツウォッチ）は声明で「ウイグル自治区で過去5年に有罪判決を受けた多くが、無罪であり刑事犯罪の事実がない」と批判した。

バイデン大統領から指名されたメリック・ガーランド司法長官はそれにもかかわらず怪しい発言をした。

「ハンター（バイデンの息子）問題の調査をどうするか。指名にあたって、このハンター処遇とバイデンとの取引があったのでは？」と問われたときのことだ。同司法長官がはぐらかすように、「まずキャピタルヒル占拠事件の徹底調査だ」と発言した。バイデンの息子の中国をめぐる金銭スキャンダルを巧妙にもみ消す方針を明らかにしたのである。

中国の自信過剰の動きと平仄《ひょうそく》があう。

中国人民大学国際関係学院副院長兼教授の翟東昇《てきとうしょう》は著名な学者だが、中国政府と濃密な関係があって共産党の対外工作、対外宣伝に深くかかわってきた。

この翟教授が何を発言したか。

一、1992年から2016年まで（トランプ登場前まで）、米中間でどんなに深刻な問題が起きても、われわれ（中国）はそれをコントロールすることができ、米中関係はわれわれの『手の内』にあった。

強欲資本主義のメッカ＝ウォール街の入り口

二、その最大の理由は、アメリカの上層部にわれわれの味方の人間がいること、米国の権勢核心層に中国の老朋友がいる。

三、アメリカの政治エリート上層部をわれわれにつなげるのはウォール街であり、米国の政界と権力中枢に強い影響力をもつウォール街はわれわれの味方である。

ところがトランプの登場により、この手法が通じなくなって米中貿易戦争が始まった。

「ウォール街はじつはあの手この手で中国を助けようとしたが、力が及ばなかった」

ところがコロナ禍でバイデンとなった。

「バイデンの息子はあちこちでファンドを

つくって商売しているが、誰が彼のためにファンドをつくってあげたのか。その背後にあるのは『取引』だ」と翟教授は堂々と自慢したのである。

バイデン大統領は就任式でコロナ対策に加えて、「国民の団結を優先」と宣誓した。しかし、その後でてきた施策は「団結」ではなく「分裂」を促進するものばかりだ。なによりの驚きはトランプの通信サイトを封鎖したことであり、アメリカに全体主義がよみがえった。これを「リベラル全体主義」という。

「異論を許さない全体主義にアメリカが確実に向かっている」（門田隆将・石平著『中国の電撃侵略』産経新聞出版）

あの親中派のメルケル独首相でさえ、これには驚いて正論を吐いた。

「表現の自由の制限を運営会社の経営陣がするのはおかしい。これができるのは立法者だけであるべきだ」

不法移民もバイデン以後、おびただしく米国へ入り込んだ。

「キャッチ&リリース」というのは不法移民を逮捕しても、すぐに釈放。バイデンは不法移民を防ぐ壁の建設を取りやめ、トランプ時代の規制を事実上、緩和した。不法移民は国境を越えてカリフォルニア、ニューメキシコ、テキサスに、イタチごっこを繰り返しながら入り込む。

左派は人権の観点から移民には賛成している。

なかんずくカリフォルニア州へはメキシコからの不法移民が引きも切らず、トンネルを掘っての移送ルートもあって、チカノ（メキシコ系アメリカ人）ばかりか、中国人が大挙潜り込んでくる。

「このまま行けば、カリフォルニアはアメリカ人とは無縁の人々が暮らす『独立国家』になってしまう」と大声を上げたのはニュート・ギングリッチ元下院議長だ。「バイデンは移民政策を緩和したが、カリフォルニアをアメリカから分断するつもりなのか」。


ペンタゴンに「バイデン政権誕生以後」の顕著な動きがある。

バイデンは軍事戦略の見直しにチームを編成して検討を開始した。指揮を執るのは過去の軍事作戦をすべて失敗させたのに、しかも退役後7年は国防総省の幹部にはなれないという規則を無視して国防長官に就任したオースティンだ。

ペンタゴンが主要敵と認識しているのは無論、中国だが、いまの米軍では単独で直截《ちょくせつ》な対決はできないと踏んでいる。トランプ時代からの合意はインド太平洋への軍事力シフトだが、オースティン国防長官は「全世界の米軍のプレゼンスを見直し、インド太平洋へのシフトを円滑化するために『同盟国』との協議を本格化させる」とした。

日本、韓国、フィリピン、豪、ニュージーランドと米国は安保条約が存在するが、台湾とは台湾関係法しかなく、またＡＳＥＡＮ（東南アジア諸国連合）でもマレーシア、ベトナム、シンガポールとは条約の締結には至っていない。インドとは軍事演習を繰り返しているものの、やはり条約化しているわけでもなく、こうした情勢下、英国とフランスが南シナ海へ空母を送り込み、またドイツが夏ごろにフリゲート艦を派遣すると表明している。

バイデンは議会承認が不要な範囲のなかで、姑息に静かに、しかし百四十度ほどの政策転換を次から次へと大統領令を発令した。

中国との通商面での交渉は、全面対決から中国有利の取引へ移行させた。ウォール街の動きを見ても、米国ファンドとの中国株投資は続き、また中国企業のウォール街上場も継続している。いまやどこにもトランプ政策の残り香さえないではないか。

バイデンとなってからの露骨な変化は、トランプを支援したオラクルへの寒風である。ＴＩＫＴＯＫは米国の子会社をオラクルへ売却することで合意が成立していた。バイデンは背後に手を回して、このディールを白紙に戻した。ＴＩＫＴＯＫの言い分は「トランプは去った。ディール合意は、もはや存在理由がない」。

シリコンバレーはＧＡＦＡの天下、その経営トップの９割近くが民主党支持。例外がオラクルの会長のエリソンだった。

他方、ＧＡＦＡを独禁法違反だと提訴しているのは、どちらかといえば民主党なのである。バイデン政権、奇妙な船出である。

良い大統領令が例外的に一本

就任からわずか1カ月で53本の「大統領令」にバイデン大統領は署名したことは述べたが、ことごとくトランプ路線の否定だった。

とくに中国政策への規制緩和、パリ協定復帰、ＷＨＯ復帰、不法移民の取り締まり緩和、ガス・パイプラインの建設許可撤回等々。議会承認を不要とする大統領令で、巧妙に政策変更をやってのけた。

唯一例外的に「良い大統領令」は「半導体、電池、医療品、レアアース調達網強化改編令」である。

２０２１年2月24日に署名した大統領令の骨子は「半導体や大容量バッテリー、医療用品、レアアースを含むサプライチェーンの見直しを指示する」という内容で、すでに2月18日には一部メディアが草案を入手していた。

「非友好的な国」、「非友好的や不安定となりうる国」が主導するサプライチェーンと米製造業の格差も見直すとして、「われわれの国益や価値を共有しない外国に重要な部品部材の供給を依存するわけにはいかないのだ」とした。名指しこそ避けたが、中国などリスクとなる重要部材の調達ネットワークを改編する計画だ。「100日以内」に関係官庁は実態を調査し報告せよとする。

現在、世界のレアアースの85％を中国に依存している。鉱区は内蒙古省のパオトウ（包頭）と江西省である。後者では毒性の強い化学材を直接鉱脈に流して精製過程を短縮しているため、地域住民に得体の知れない奇病の発生も伝えられている。川崎病に似ているともいう。

スマホ、EVのみならずタービン、ドローン、高性能電池、超音速航空機、ジェット戦闘機、ミサイルなど、レアアースは軍用品でも枢要な基礎材料だ。げんに2010年に中国はレアアースの対日輸出を禁止し、日本の産業界は備蓄がなかったため、その脆弱《ぜいじゃく》性に悲鳴をあげた。

米国はじつは世界最大のレアアース埋蔵を誇るが、精錬過程での環境が劣悪なために原石を中国へ輸出して精錬を依存している。汚い仕事をしないのは米国内の環境保護団体の圧力による。また供給源の多角化をはかるため、日本、米国、欧州勢はインド、マダガスカル、豪などに鉱山投資、精錬所建設などを急ぐ。なかでも重視されていたのがミャンマーだ。したがって欧米が制裁を強化すると、せっかくのミャンマーにおけるレアアース生産も暗礁に乗り上げる可能性がある。

3月の全人代では2021年のレアアース生産目標を8・4万トンとした。前年比27％増だ。中国の工業情報化省は「希土類管理条例」を発令し、鉱山採掘から精錬、流通、輸出のプロセスを一貫して管理することを優先するとした。

米国は防衛に関する軍事技術、公衆衛生、旅客機など運輸技術（ボーイングなど）など6つの分野に関しての対策は「1年以内」にまとめようとした。商務省は調達先の偏在を洗い出し、また政府補助金をつけて国内生産に切り替えるなど多様化の研究も促す内容となっている。

米国内では安全保障問題に直結するとして中国人留学生、研修生の監視、孔子学院の閉鎖、ハイテク企業などへ潜入や国際学会出席とかの理由で米国に滞在する中国人研究家の内偵、「千人計画」に協力する米国アカデミズムの代理人など、トランプの中国政策をバイデンは静かに緩めている。

TIKTOKのオラクルへの売却案件も白紙に戻したことは述べた。ウォール街への中国企業の上場禁止も廃止方向へ、そのうえ米国ファンドの中国企業への投資規制などは、実質的に白紙還元である。

急浮上した新しい難題は「ズーム」と「クラブハウス」である。

この2社が「中国と密接に関与する米国企業」という実態が浮かんだ。ズームを利用した会議が中国に漏れていたのだ。

クラブハウスの情報漏洩事件も、世界的に人気を集めている音声SNS「クラブハウス」のコア技術が中国企業であり、ユーザーのプライバシー問題が浮上、肝心の中国ではただちに禁止されたが日本は放置されたままである。

ウイグルにおける人権弾圧、強制収容所は「ジェノサイドだ」とポンペオ前国務長官は明確に定義した。中国は「世紀のフェイクニュースだ」と言い張り、報道したBBCの放映を中国国内において禁止する措置にでた。

米国連邦下院のマイケル・ウォルツ議員（共和党。フロリダ州選出、47歳。元特殊部隊隊員）は「22年北京冬季五輪ボイコット」を主旨とした決議案を議会に提出した。英国でも同様な声が強く、日本を除く世界の人権団体や文化人が北京冬季五輪ボイコットを呼びかけている。

ウォルツ下院議員は「中国は新疆ウイグル自治区で組織的な暴行を継続し、香港市民の自由を踏みにじり、信仰の自由を迫害した。そのうえコロナウイルスを世界にばらまいた。この中国が冬季五輪を行うなど不道徳で倫理を欠いた過ちである」と激烈に非難した。

この点、日本の反応の鈍さが気になる。欧米における「ジェノサイド」批判はナチスのホロコーストと同義で人類に対する犯罪という認識なのだ。

したがって、これに同調しない日本は犯罪共犯者という短絡反応となり、中国と同罪として攻撃される恐れがあるのだ。

バイデン就任式と秀吉の醍醐の花見

かようにしてバイデン大統領はトランプ前政権の政策をひっくりかえす大統領令を矢継ぎ早に署名し、アメリカの有権者の多くが、そのあまりの拙速に吃驚した。

2万5000人の州兵が厳重に警備したバイデン大統領就任式の光景を見ていて、秀吉の醍《だい》醐《ご》の花見の異常な風景との酷似を連想した。

慶長三年（1598年）3月15日、秀吉は京都醍醐寺において1300名の招待客を招き、茶会、舞踊などの花見を行った。庶民の祝意はどこにもなかった。伏見城から醍醐寺までの沿道ならびに寺の周囲を警備したのは3万人だった。いかに信長政権をよこから簒《さん》奪《だつ》した、合法性の稀薄な秀吉が暗殺を怖れていたかが推量できる。バイデンもまた不正投票の結果、大統領選を簒奪したと考えているアメリカ人は多い。熱狂的なトランプ支持者は彼を「フェイク大統領」と呼んでいる。

欧州は歓迎色が強いが、イスラエルはバイデンをあまり評価せず、退任直前のトランプがスティーブ・バノンら73名に減刑を含む「恩赦」を与えたリストのなかに、ユダヤ人の大物が数名いた事実を好意的に伝えた。

また注目は閣僚のなかに、いかにユダヤ人が多いかをリストアップした。上院議員100名のうち10名。下院でも435名のうちの27人がユダヤ人議員である（114ページコラム参照）。

バイデン政権の閣僚となったユダヤ人にはアントニー・ブリンケン国務長官（バイデンの外交顧問を長く務めた）はイランと核合意の再開に前向きである。ウェンディ・シャーマン国務副長官はオバマ政権でイラン核合意を進めた。この国務省のトップ人事をみても、バイデンはオバマのレガシーであるイランとの核合意を破棄したトランプの決定をまたもや覆し、中東政策をガラリと変更する腹づもりらしい。

就任直後にバイデンはパリ協定復帰に署名し、またカナダからニューオーリンズへかけてのガス・パイプライン建設に中止命令をだした。産業界、とくに石油ガスなどのエネルギー産業をバイデンは明確に敵にまわした。

一方でバイデンは就任式に台湾の駐米大使・蕭美琴《しょうびきん》を招待していた。肩書きは駐北米事務所代表だが、英文名刺はＡＭＢＡＳＳＡＤＯＲ（大使）だ。

トランプ前政権は台湾旅行法，ＴＡＩＰＥＩ法、台湾防衛法を連続して成立させて台湾に肩入れした。２０２０年8月にはアザー厚生長官、翌9月にはクラック国務次官を訪台させ、クラフト国連大使も台湾訪問を予定していた。急遽、国連大使の台湾訪問は中止になったが、台湾は国連に加盟していないから、重大な外交政策の変化なのである。

訪台中止となって、クラフト前国連大使は蔡英文《さいえいぶん》総統に電話し、会話した。また台湾国会は「台湾の国連復帰を目標とする法案」を与野党一致で可決している。国民党が従来の原則から逸脱し、台湾独立色をはじめて滲ませたのだ。

バイデン新政権でも台湾政策は現在のところ、変更がなく、「地域の安定と平和を脅かす中国の武力的威圧は地域の安全に脅威である」とし、トランプ政権が決めた武器供与の停止やキャンセルには至っていない。

1月下旬には空母「ルーズベルト」を旗艦とする米海軍空母打撃群が南シナ海へ入った。2月初旬には駆逐艦艦隊を台湾海峡へ入れて、中国海軍の目の前を通過させた。

「これは通常の『自由航行作戦』の一環であり、米国は民主台湾と地域の安定のために協力してゆく」と国務省スポークスマンのネッド・プライスは述べた。

バイデンは自らのホンネとは裏腹に、前政権の対中強硬路線継続をしばしジェスチャーとして堅持して行くことで、自らの中国との金銭スキャンダルを隠蔽したい思惑があるのだろう。

さらにバイデン政権は20ドル紙幣の肖像画からアンドリュー・ジャクソンを消せとして歴史認識の転換を図る。

ＢＬＭ（黒人のいのちも重要だ）など過激左翼運動は全米あちこちで歴史的な英雄の銅像を破壊した。歴史をあったままにまっすぐ見ないで左翼的自虐史観に陥ったからだ。この極左の思想がホワイトハウスの主にも甦り、バイデン新大統領は20ドル紙幣の肖像画の変更を急ぐとした。

オバマ政権下、20ドル札の肖像画はハリエット・タブマンを採用することを決め、2020年に新札発行が予定されていた。現行20ドル札紙幣は第7代米国大統領アンドリュー・ジャクソンで、トランプ前大統領はオバマ時代に倉庫入りしていたジャクソンの肖像画を再び執務室に飾った。

バイデンはこの措置を覆し、タブマン新札を急がせる。

新札になるハリエット・タブマンはメリーランド州ドーチェスター郡出身の奴隷だった。その後、奴隷解放運動家となり、ついで女性解放運動も展開したため「黒人のモーゼ」と言われた。歴史観の転倒が紙幣の肖像画の変更にまで及んだ。

不法移民にも寛大な措置へ舵取り

バイデン大統領の新しい政策変更のなかで、とくに注目されたのはパリ協定復帰でエネルギー産業を敵にまわし、同時に不法移民の大量流入を防御するためだったメキシコとの国境における「壁」の建設もやめたことだ。

具体的にはトランプが実施した国防予算を転用してのメキシコ国境の壁建設だったが、「納税者のカネをこのような方向には使わない」とするもの。この情報がもたらされるやメキシコ国境には2・5万人のメキシコ人が国境検問所に待機し始めた。テキサス州では、国境警備隊がトランプ時代とは異なって不法移民を発見しても逮捕せず、その場で送り返している。これを「キャッチ&リリース」ということはすでに述べた。

そのイタチごっこに疲れ、警備が緩むとどっと不法移民はテキサス州へ流れ込む。これはオバマ時代に繰り返された現象である。

このままではニューメキシコ州からアリゾナ、カリフォルニア州にかけて、またまた移民の摘発にまわせる警備隊不足に陥るだろう。アメリカにはすでに1100万人の不法移民がいる。このうち800万人が就労している。

安い賃金のため不景気になるとまっ先に批判の矛先が行くけれども、景気がよいときは不法移民を安く雇えるので、じつは歓迎なのである。慎重論、反対論も渦巻くのがアメリカで、「治安が悪化するばかりか、移民コミュニティの安全も脅かされるだろう。コロナが蔓延《まんえん》しているときに国境の警備を弛緩させるとは狂っている」とする意見が多い。

2月中旬、トランプ弾劾裁判で賛同を得られなかった民主党は、弾劾に持ち込んでトランプの再帰を不能にしたと総括した。

続けて議会での熱論は財政支出問題に移行し、コロナ不況対策に1兆9000億ドル、次に2・3兆ドルのインフラ等建設という未曽有の政府支出問題で激論が交わされた。

このような天文学的財政支出に、バイデンの身内から慎重論が飛び出していることにも注目すべきである。しかも「大規模な財政支出はインフレにつながる」と唱えているのが、ローレンス・サマーズ元財務長官なのだ。サマーズはワシントン・ポストへの寄稿のなかで、「過去30年、目にしなかったインフレ圧力を形成しかねない。景気刺激策の規模は未知の領域へのステップだ」とした。

テレビ番組にも出演したサマーズは「野心的な経済対策にともなうリスクをバイデン政権の経済チームは認識する必要がある。景気後退のレベルを超え、第二次世界大戦時のレベルに近い規模のマクロ経済対策は、過去に経験したことがないインフレ圧力を引き起こす可能性がある。リセッションを招かずに急激なインフレを抑制することは困難である」と深い懸念を表明した。

「アメリカン・アクション・フォーラム」座長のホルツ・イーキンも、「インフレをとくに不安視していないが金融が不安定になるリスクがあり、むしろ潤沢な手元資金によって株価などが持続不可能な水準に押し上げられると、2000年IT株式バブル、2007年の不動産バブルのように、いずれリーマン・ショックを超える急落につながる」と予測する。

「大胆な行動」を唱えるイエーレン財務長官らと真っ向からの対決である。

他方、ノーベル経済学賞のポール・クルーグマンは、「サマーズ氏の懸念は大げさだ」と批判し、打撃を受けた経済の救済を戦争遂行になぞらえたパウエル連邦準備制度理事会（FRB）議長の最近の発言を引用して、「真珠湾が攻撃されているときに、需給ギャップの大きさを問題にしてはならない」と強調した。

民主党内でもサマーズ説への賛同者は少ない。オバマ政権時代、大統領経済諮問委員長だったジェイソン・ファーマンは「失業保険給付は段階的に縮小すべきだ」として次のように発言した。

「失業保険給付を縮小すれば、多くは職探しに出かける。就労するまでの時間がかかり、将来に楽観的になり過ぎると、結果的には長期失業者になる危険性を付帯しており、こうした転落は避けるべきだ」

だが２００兆円（１・９兆ドル）の支出は議会であっさりと承認された。

アメリカにおけるユダヤ人

アメリカを陰で動かすディープステイトにはユダヤ人が多いとされる。ならばユダヤ系議員は議会でどのように動いているのか。

イスラエルに敵対する周辺諸国のなかでもヒズボラのテロリズム、シリア、イラクに残存するアルカイーダ系テロリスト、レバノンの過激派、イエメンのフーシ。とくに反ユダヤ勢力の武装組織がイランの支援を得てミサイルを拡充していることだ。

イエメンのフーシがサウジアラビアに撃ち込むミサイルはイランが供給している。イランの代理兵である。イスラエルは近い将来にレバノンのテロリストへの軍事作戦を展開するだろうと予測されている。

にもかかわらずバイデン政権はイランとの核合意の話し合いを再開する姿勢にある。2021年6月にイランの大統領選挙があり、そのあとから交渉が本格化することになるだろう。

ネタニヤフ首相にとってバイデンのアメリカは不安と期待がかきまざった複雑な心境であると、イスラエルの有力紙「ハーレツ」(1月22日)はいう。

ネタニヤフ政権にとって、第一の安心感とはバイデン政権の高官の面々がオバマ時代の復活に過ぎず、みなが顔見知りであることだ。第二に不安があるとすれば、民主党そのものである。米国民主党は人権尊重が第一で、イスラエルの国防優先を批判することが多く、たとい上院で10名、下院で27名ものユダヤ人議員がいるにせよ、彼らは団結してイスラエルに味方するわけでもない。そのうえ民主党議員の多くが、じつはネタニヤフ首相を嫌っている。

第三にバイデン政権はトランプがなしたイランとの核合意破棄を見直すなどとする姿勢は危険な動きと捉える。

しかし米国のもっかの関心は第一にコロナ対策、第二に中国をいかにするかであって、イスラエル問題への緊急性は薄い。またイスラエルは米国内の情報を収集し分析する高い能力があるので、トランプ大統領が去っても、国務省と国防省はイスラエルがバイデン政権に協力的になると予測している。

そうこうしているうちにイスラエルでまたも選挙があった。過去2年間で4回も総選挙を実施し、その都度、ネタニヤフ首相率いるリクードが辛勝し、長引く話し合いの末に連立政権を形成してきた。

しかし予算案をめぐって連立相手だった「青と白」（ガンツ元統幕議長が党首）が、途中から連立を抜け出したため、また総選挙となったのだ。最大の理由はネタニヤフ首相への毀誉褒貶《きよほうへん》が真っ二つに割れていることだ。

ネタニヤフが選挙中に訴えたのは「世界で一番先にコロナ対策のワクチン接種をやった実績」。だが、票には結びつかなかった。4月1日現在の各政党獲得議席は、与党側がリクード30、シャス7、宗教団体派7、シオニスト政党7。ほかのミニ政党を加えても59議席（イスラエル国会＝クネセトの定数は120）。過半数の61議席確保にあと2議席足りない。野党側は直前までの連立相手「青と白」が議席を減らして8議席、これに新党のイエシアテッド、労働党、極右政党、アラブ政党などを足しても57議席。態度不鮮明が4となっている。なぜ極右政党が連立に加わらないかと言えば、感情的にネタニヤフが嫌いだからだ。

ネタニヤフ首相は、敵対してきたアラブ政党に水面下で連立を持ちかけた。なにしろユダヤ社会とは「全員一致ならやめちまえ」という原則があり、少数乱立はいつものパターン。それぞれの少数派が我を通すので、連立交渉は長引く。野党側は国防、外交などでネタニヤフ首相を評価しながらも、根本的に感情的にかれが嫌いなので連立の組み替えは難儀を極めた。

イヴァンカ・トランプがフロリダ州選出の連邦議会上院議員に立候補準備か、とたちまち噂が広がって、相手は共和党の希望の星マルコ・ルビオとの競合になる？　この噂が広がったのはイヴァンカ夫妻が3人の子供とともにフロリダ州に移動したからだ。火のないところに烟《けむり》は立たないが、2022年の改選を控えているのは現職マルコ・ルビオ。もしイヴァンカが立つとなると、まずはフロリダ州内での共和党予備選に勝つ必要がある。情報筋はルビオが選挙に強くないので、ひょっとしてイヴァンカに流れる可能性もあるとする。

イヴァンカ自身は「そんな噂にコメントしない。わたしはルビオ議員とは友人で親しいし」と答えたという。また別の情報ではチェルシー・クリントンが親しいイヴァンカの応援を約束したとか。これら真偽の確かめようのない怪しいニュースが飛び交った。

ニッキー・ヘイリーは一か八かの「綱渡り」を始めた。トランプは面会を断った。前国連大使のニッキーは明らかに2024年の大統領選挙への野心を隠さない。キャピタルヒルの襲撃事件でニッキーはトランプ批判に転向し、共和党保守を敵に廻しかねない行動に出たのも、「わたしはトランプ大統領は2024年に出馬しないとおもっていますから」と答えたそうな。

そしてまたアラスカ州で波乱勃発だ。共和党の内紛である。

サラ・ペイリン元アラスカ州知事がリサ・マコウスキー上院議員に挑戦する構えを見せている（ふたりとも女性）。ふたりは宿命の対決である。リサ・マコウスキーの父親が州知事2期目の選挙にペイリンが出馬し、勝ったのだ。マコウスキーは共和党議員だが、トランプ弾劾に賛成票を投じたため、保守の強い反発を招いた。保守強硬派で茶会系とも言われるサラ・ペイリンは2008年にジョン・マケイン（当時アリゾナ州選出の上院議員。故人）が共和党大統領候補に選ばれたときに副大統領候補に選ばれた。アラスカ州での知名度は抜群。そのうえアラスカの先住民イヌイットである漁師と結婚し、3人の子供を育てた異色さも売りだ。しかし4月3日に、ペイリンがコロナに感染したことが伝わって、やや勢いをそがれた。

さて民主党はバイデン新政権となって、さぞや満足感に浸ったかと思いきや、次々と難題が出来《しゅったい》した。

そもそも下院議長を4期も務めるナンシー・ペロシはいまや「シーラカンス」と秘かに渾名《あだな》される老害。3月に御年81歳におなりあそばしたが、若手に議長をわたす意思はなさそう。ペロシはサンフランシスコの極左の巣窟《そうくつ》が選挙区で連続11回の当選。反中国、とくに人権にうるさいが、石油産業優遇などには反対していて、鉄則という政治哲学はない。肝っ玉母さんの側面があって、イタリア系女性で初めてという珍しい下院議長もさることながら、5人の子供を育てた。老婆にしては元気そのものである。

オバマ来日前に広島へやってきて、広島平和資料館、原爆記念塔に花輪を捧げ、日本政府はこのペロシに旭日大綬章を授与した。

NY知事のクオモにも深刻な問題が持ち上がった。コロナ騒ぎで名をあげ、一時はトランプに挑戦する大物候補などと過剰に言われたものだったが、看護婦との醜聞が発覚して罷免運動が起きた。NY州議会は弾劾の準備を始めた。戦いすんで日が暮れたら、また次の戦争が始まっていた。

同盟国のオーストラリアでバイデン以後、何が起こったか

オーストラリアが反中国に傾くまでの舞台裏では熾烈な諜報合戦があった。豪政府が中国の脅しに屈せず、国益を守る教訓を日本は参考にすべきだろう。

近世の日本において、知日派の元祖は、ザビエルとかフロイスあたりだろうか。江戸時代の知日派元祖はウィリアム・アダムスこと、三浦按針《あんじん》だろう。幕末の知日派は毀誉褒貶もあるが、フィリップ・フランツ・シーボルトが飛び抜けている。爾後《じご》、陸続と日本にやってきた欧米の外交官たちは優れた日本観察を残した。もっとも優れた作家はラフカディオ・ハーン（日本名＝小泉八雲）だ。

戦中、戦後は極端な色眼鏡で日本の悪口を書き続けた外国人ジャーナリストがおびただしかったが、日本文学の源流から日本文化を理解し、広めた功労者はハーバート・パッシン、エドワード・サイデンステッカー、ドナルド・キーンらがいる。親中派だが知日派でもあったエズラ・ヴォーゲルも、この仲間に入れて良いかもしれない。

そして現在、日本語を流暢《りゅうちょう》に操り、日本の味方を鮮明にする外国人評論家には、英語で初めて三島由紀夫評伝を書いたヘンリー・スコット・ストークス。モルモン教の布教活動で日本にやってきてタレントとなったケント・ギルバート、麗澤大学のジェイソン・モーガンらがいる。

この戦列に新しい論客が加わった。アンドリュー・トムソン著　山岡鉄秀＝翻訳・監修『世界の未来は日本にかかっている』（育鵬社）の登板である。トムソンは中国語、アラビア語、そして日本語を流暢に操り、そのうえ元豪国会議員であり、あまつさえ五輪担当大臣を務め、国際経験が豊かで、日本に移住し、日本の歴史の現場を訪ね歩いてきたオーストラリア人論客の登場である。なにしろ佐賀県呼子《よぶこ》の西にある名護屋城跡にでかけて、秀吉がなぜ朝鮮半島に攻め入ったかの歴史的な意味を考えるのだ。名護屋城の規模から巨費が投下された理由を考えれば、明らかにキリスト教の侵略を防衛する予防戦争だったことがわかるだろうが、トムソンは現場に立って、そのような分析にいたるのだ。

またアンドリュー・トムソンは中国にも赴任した経験があり、苛烈《かれつ》な豪中貿易の最前線にいた。中国人との付き合いも豊富で、やがて気がつくのだ。中国人はビジネスが究極の狙いではなく、間接侵略のための尖兵であることに。フト現実に帰れば、おびただしい豪の政治家、ジャーナリストらが中国の賄賂《わいろ》漬けに浸って、ひたすら親中路線を驀進して国益を損なっていることに気がついた。まさにサイレント・インベーションが着々と進んでいた。

歴代豪首相のなかでも、飛び抜けての親中派は、外交官出身のラッド元首相だ。当然、トムソンは彼とも付き合いがあり、また親中派から反中派に転向せざるをえなくなったターンブル前首相が、なぜ親米、親日、反中のアボット元首相をおいやったのか。私たちが知るよしもなかった豪政界の舞台裏を活写する。ラッドはオバマ政権下で緩慢にすすみつつあったアボット首相（安倍首相と昵懇《じっこん》の仲だった）の反中国路線への傾斜を横に見ながらクアッド（日米豪印の軍事同盟）構想の原形を積極的に壊した。ラッドは国益を度外視した親中派だったが、いまは米国に移住したという。

若い上院議員で饒舌《じょうぜつ》家のダスティヤリは「オーストラリアは南シナ海での中国の行動に干渉してはならないと述べました。これは、労働党の中核的な外交政策に対する明らかな矛盾でした」。その背景にあったのは「黄向墨という中国の不動産ビジネスマンがダスティヤリの借金を肩代わりして法律事務所に支払い、シドニーの労働党事務所に多額の現金を寄付した（中略）。黄は明らかに中国共産党の統一戦線工作部の工作員」だったという。

ようやく豪にモリソンという、まともな政権が再生し、日豪米印のクアッドが共同軍事演習を展開できるようになった。

以後の問題とは「英国が中国を封じ込める目的でクアッドに英国海軍を参加させるか、どうか」と言い切る。日本の視点だけで世界情勢を見る限り、この発想は浮かんでこないだろう。

しかし日本における中国のサイレント・インベーションは豪どころではない。脳幹が侵された日本の政治家たちは国を売ろうとしているのではないのか。日本滞在の長い知日派から見れば、日本の対応は異常に映るのだ。

欧米を「毒殺」したリベラリズムという名前のネオ・マルクス主義は、キャンセル・カルチャーを産んだ。アメリカの分断は「かれらの」思う壺であり、中国の対米戦略は、この米国の左右対立、キリスト教的価値観と左翼の歴史否定勢力の鮮烈な分裂を巧妙に衝く。現在、展開されるアメリカ政界の分断は、民主主義を信奉した西側全体の危機でもあると鋭角的な指摘をしている。

ドイツのメルケル首相は全体主義者

「化けの皮」が剝《は》がれつつある。2021年3月14日、ドイツ西部2州の議会選挙で、メルケル与党のCDU（キリスト教民主同盟）が過去最悪の得票で惨敗した。

ドイツ国民がメルケルに飽きた証拠である。これまで世界もドイツも女傑メルケルを自由主義の政治家と誤認してきた。彼女はトンデモナイ伝統破壊の全体主義者だった事実を指摘するのは川口マーン惠美著『メルケル　仮面の裏側』（PHP新書）だ。

副題に「ドイツは日本の反面教師である」とあって、ナルホド、日本も間もなくドイツの轍《てつ》に嵌《はま》りこんで全体主義国家に転落する危険性を本書からひしひしと感じる。

最初は「肝っ玉母さん」のたのもしい映像がメルケルだった。その虚像が大きく流れたので、日本でも期待した人が多かった。ところがメルケルの実像は「はてしなき陰謀家」であり、「陰湿な策士」だったというのが本書の描き出す、本当は危険な女性宰相の真相である。

プロテスタント牧師の娘として育ったメルケルは、寡黙な目立たない女性だった。両親の社会主義的性向の影響を受けて、東ドイツのごく小さな政党（DA）で活動を開始した。その党があまりにも小さな規模だったゆえに、メルケルはスポークスウーマンとして瞬く間に頭角を表した。東西ドイツ統一を絶好のチャンスと利用して西ドイツ与党（CDU）と組んで、いきなり全ドイツ的政治家としてのデビューを飾った。

小さな東ドイツの社会主義政党が、西ドイツの最大与党の庇《ひさし》を借りて母屋を乗っ取った。そんじょそこらの凡人がなしえる芸当ではない。たまたまベルリンの壁が壊れ、東西ベルリンの行き来が自由になって、通貨統合までの激動の時期に筆者も何回かドイツに取材に通った。当時、東ベルリンへの直行便があって、ソ連製のボロ飛行機だったが、乗客は少なく、通関もラクだった。通貨統合の前夜はお祭り騒ぎで、明け方まで町中は騒然としていたことを思い出す（拙著『新生ドイツの大乱』、学研）。

メルケルは東西ドイツ統合があったがゆえに、その機会を功利的に便乗して、政治の中枢に躍りでたのだ。

以後、いつの間にか身につけた策謀、陰謀、多数派工作、偽情報などを駆使してコール側近となり、やがては与党の顔になってゆく。その間に友人も同僚も上司も利用し尽くすとバッサバッサと切り捨ててきた。だからメルケルを恨むドイツ人政治家は多い。

そして「CDUと連立を組む党が、あたかもメルケルに精力を吸い取られるかのように、次々と落ちぶれていく」(中略)「メルケルにとっての脱原発は、一時の保身であると同時に、本来の信条でもあった」(川口前掲書)。

かくしてメルケルは選挙でつねに苦戦しつつも、「第三次メルケル政権が成立したとき、ドイツの国会からは保守リベラルというべき経済政策を推す政党が事実上、消滅していた」。なぜなら保守政党であるCDUは左翼政党の政策をちゃっかり吸い上げてきたからだ。

メルケルはいまや「民主主義の擁護者」でもなく「人権の擁護者」でもなく「環境の保護者」でもない、とその実態を在独作家の川口マーン惠美は繊細な観察とダイナミックな筆圧で活写している。

メルケルの実像を知ったら驚く読者が多いだろう。しかしながらこれはドイツだけの問題ではない。EU、ユーロを牽引する欧州経済のエンジンはドイツであり、なおかつ中国との蜜月を続けており（表面的に「人権」とか言っているが）、トランプ路線とは鮮烈に距離を置いた。なぜならメルケルは心底から「社会主義」の信奉者なのである。

人道主義を装っての難民受け入れも、本来は安い労働力確保を狙うドイツ財界の意向に沿ってのことだ。大量の難民は多文化共生というグローバリズムに直結するが、同時に民族的アイデンティティは喪失する。左翼の理想とする「地球はひとつ」という「左翼思想を資本家の利益と絡ませたこと」がメルケルの凄いところなのである。

まして政敵をつぶすにあたっての陰謀たるや、マキャベリもびっくりの狡猾《こうかつ》さを発揮する。つまり引退を表明しているとはいえ「メルケルのあともメルケル」の可能性が高いのである。

「首相となったメルケルは、２０１１年の福島の原発事故の直後に、突然、22年までにドイツのすべての原発を止めると決めた。それを知った国民は狂喜し、世界のお手本になるのだと胸を張った。15年、メルケルが中東難民の無制限の受け入れに踏み出したときも同様だった。国民はそこに自分たちの高邁なモラルを投影して高揚した。（中略）いずれの時も、国民の熱狂はあっというまに冷めた」（川口前掲書）。

そして昨師走、ＥＵは背後にメルケルの工作があって、欧州と中国の投資協定を拙速に締結してしまった。ウイグル問題も香港の人権抑圧も、忘れたかのように。

しかしさすがのドイツのメディアも人道主義と人権を忘れてはいなかった。声高に投資協定の停止を主張し始めた。なぜなら協定には「人道に対する犯罪や奴隷労働の中止を保証するために有効な義務をもとめていない」からだ。中国が約束を守るという幻想は錯覚でしかないことに、ようやくドイツ社会が気づき始めた。

9月、ドイツ総選挙。メルケル時代は本当に終わるのか？

香港のその後はどうなっているのか？

2021年1月28日、香港の裁判所は自由民主派の活動家ら47名を起訴した。罪名は国家転覆の疑い。ひっくり返るような起訴に3月1日、香港の民主各派は抗議声明を発表した。香港のEU代表部も抗議した。米国はブリンケン国務長官が「ただちに釈放せよ」と訴えた。しかし4月1日、香港の裁判所は自由派のイコン、黎智英《ジミーライ》らに有罪判決を言い渡した。

日本のメディアが関心を寄せるヒロインの周庭（アグネス・チョウ）もすでに服役中で、保釈は遅れるだろうと現地メディアは報じている。

香港大乱で香港に世界からの観光客が寄りつかなくなり、コロナで中国大陸からの観光がゼロに近くなった。免税店で稼いできた香港の基軸ビジネスが消えて、ブランド街はシャッター

デモ隊と警察の衝突（2019年の「香港大乱」）

街角に貼られた香港の民主派のポスターはデザインも秀れていた

通りとなった。香港繁栄の象徴＝タイムズ・スクエアからもルイ・ヴィトンとフェンディが消えた。銀座から三越がなくなったようなものである。

他方、香港財閥は悲惨な目に遭っているとおもいきや。財閥の順位がまた入れ替わり李嘉誠《りかせい》（92歳）がトップを挽回、昨年第一位だったヘンダーソンランドの李兆基《りちょうき》は二位に後退した。李は本丸の長江実業がふるわず株価が27％も下落したが、投資してきたズーム株が4倍となって資産３５４億ドルとなった。

観光客ゼロとなればツアー客専門だったホテルはアパートに変身した。馬鞍山にあるホライズン・ホテルと旺角《モンコック》の奥まった場所にあるノボテルが合計１０００室をアパートとした。日本でも帝国ホテルが30室をアパートとして貸し出したし、名門ホテルがテレワークの時間貸しを始めている。老舗グランドパレスは6月いっぱいで休業に至る。

香港民主化運動のイコン、黎智英（蘋果日報の創業者）は香港警察に拘束されたままの状態が続いた。日本を除く西側世界からは釈放の要求が出ていた。彼の真っ正面から習近平の独裁と暴力政治に言論の戦いを挑み、共産党を敵に廻しての獅子奮迅ぶりは、多くの人々を勇気づけた。

バイデン大統領は2月11日にようやく習近平と電話会談を行い、南シナ海、香港、そしてウイグル問題に「強い懸念」を表明した。具体的にジミーの名を出さなかったが、香港の民主政治の破壊を憂慮したことを示唆した。ポンペオ前国務長官がウイグルにおける少数民族弾圧を「ジェノサイド」と非難し、ブリンケン新国務長官も、この路線を継続すると言明したことは述べた。

バイデンは習近平との電話会談で、ウイグルのジェノサイドならびに香港の弾圧に言及したが、中国は内政問題としている。またＷＨＯの武漢視察についても機密書類もラボの視察も拒否した。「原因は特定できなかった」というＷＨＯの報告には冷笑が起きた。

香港でもっとも人気のある新聞『蘋果日報（アップルデイリー）』の創業者の黎智英は、習近平政権ばかりか歴代中国共産党を厳しく批判してきた。「李鵬《りほう》（元首相）のＩＱは亀の卵」と痛快な言辞を吐いたこともある。それでも２０１９年の訪米時には、ペンス副大統領とポンペオ国務長官が面会に応じたほどの大物である。習は、この人物を目の上のたんこぶとして徹底的に弾圧することを決め、香港政庁に逮捕を命じた。最初は詐欺容疑の別件逮捕、そして「外国勢力と結託して国家安全保障を脅かした」と国安法を持ち出して訴追した。この起訴は昨師走（２０２０年12月）11日だったが、同月いったん保釈されて、また再収監された。香港警察が再逮捕したのだ。

香港の最高裁にあたる終審法院は2月9日、香港国家安全維持法違反で起訴された香港民主化運動のイコン、黎智英の保釈申請を却下していた。保釈を認めた高等法院（高裁）の決定は

かつては習近平を踏んづけさせていた香港のエスカレーター

習近平批判も自由だった香港の雑誌類も街頭から消えた

間違いだったと結論づけた。

こうした動きに対して、香港からの頭脳流出がさらに深刻化した。香港政庁が補助金を出している「香港若者連盟」（仮訳）が２０２１年1月16日から2月２日まで、メンバーの１１３５名を対象にアンケート調査を行った。会員は24万人が登録されている。

とくに調査対象は35歳以下で、大学教育を受け、高給をはむ「エリート層」が中心だった。回答した3分の2が香港ドルで4万ドルの高給取りだった。その結果、全体の4分の1の若者たちが海外への永住を望んでいることがわかった。人気国ランキングでは英国、豪、ＮＺ、欧州、そして米国（え？　日本は香港の若者からは対象外である）。左記の理由を知れば納得できるだろう。

海外永住の動機を問うと複数回答で、高給を得られるが42％、自由な個人として生活できるが38％、そして人生の可能性が広がるチャンスが多いが36％となっていた。

もっと詳しく見ると、海外永住を希望する若者が全体の16％で、次に当該国の国籍を取得したら帰国することもあるとしたのが12・６％だった。

こうした傾向が続くと２０２７年に香港では３５００名の頭脳労働者が不足すると予測されており、深刻な問題となっている。

シドニーやオークランドの町を歩くと、現地人大学生より、ほとんどが中国人の留学生であることに驚いたことがあるが、やはり若者たちの意識の変化が如実にあらわれている風景なのだ。

かくして自由は窒息死させられた。香港は死んだ、のではなく殺された。一国二制度は消えてなくなり民主派、米国籍の弁護士を含めて拘束された。香港は中国の植民地となって滅亡する過程にある。

ラルフ・タウンゼント著（田中秀雄、先田賢紀智訳）の『続 暗黒大陸中国の真実 ルーズベルト政策批判1937~1969』（芙蓉書房出版）はこう言っている。

「アメリカの危険というのは、外国からの攻撃があるということではないのです。我が国を脅威に陥れるような国はないのです。危険なのは、私たち、きちんとした善意の人々の中に、宣伝に動かされやすい人がいるということなのです」

愚かにもアメリカは中国を支援し、日本を脅威と思いこんで制裁を科すというあべこべをやった。以前から指摘してきたが、アメリカは「敵と味方を間違える天才」なのである。

「中国が苦しい」という宣伝があった。実態は逆で、軍事費は中国が日本の9倍だった。

シナ事変の「何年も前から選りすぐりのドイツ人軍事顧問を招聘《しょうへい》し、最新兵器を（シナが）各国から大量に輸入している。一九三七年初頭、言論界、新聞は抗日戦争を煽り『満州国奪還』、

『戦闘機千六百機が実戦配備』と血気盛んであった。戦闘機千六百機といえば、これは（当時の）アメリカと比較してもさほど遜色のない数である」。

だが「全ての元凶は汚職である。長年、膨大な海軍予算を横領、流用する官僚が続出。毎年毎年、公金を懐に租界へ、海外へ「高飛び」する役人が列を成す。軍閥同士の抗争も絶えない（中略）。国は荒れ放題に荒れた。同じ中国人に情け無用の乱暴狼藉《ろうぜき》のし放題で、刃向うものは撃ち殺した。大多数の中国人は『攻め来る敵に立ち向かえ』と言われても拒絶する」。

まったく現代中国人と変わらない、1000年も4000年も、このDNAに染みこんだ腐敗大好き、汚職優先という体質は変わらないのである。1926年からの蔣介石《しょうかいせき》政権の10年間で、アメリカからの対中輸出は激減したが「主な原因は中国の国策にあり、また喜んで債務不履行する役人の体質にあり、また無法者を取り締まらない法制度にあり、役人によるアメリカ企業の没収やゆすり、たかりにある」。

ルーズベルトからニクソンまで、そんな汚職大国にアメリカは支援を続けて、あまつさえその中華民国・台湾との外交関係を切って、シナの共産主義政権と国交を結んだ。

トランプ前大統領はこのような愚行を繰り返すことなく中国への経済支援を断ち切り、自由世界の一員である台湾を擁護する外交に切り替えた。正しい選択をすると、よこしまな悪魔たちが米国内で中国のエージェントを演じる。だから2020年11月3日に、アメリカ国民はまた選択を間違えた。「御輿《みこし》は軽くてパァが良い」とばかり認知症の兆候がある老人を、こともあろうに大統領に選んでしまった。

エドマンド・バークの言葉を思い出した。

「悪が勝利するのに必要な唯一の条件はわれわれが何もしないことであるのかもしれない」

ユダヤ人の影響力

ハワード・モーリー・サッカー著、滝川義人訳『アメリカに生きるユダヤ人の歴史』（上下巻、明石書店）は示唆的である。

米国史はピューリタン、インディアン、そしてプロテスタントを抜きに語れないが、近代史は多彩な国や地域からの移民、それもアイルランド系、中国系が問題の種、最近はアジア系がずば抜けて多い。けれども基本的にはユダヤ人移民を抜きには語れないのである。本書は浩瀚《こうかん》（書物の多くあるさま）、上下二冊、1654年から1989年まで335年間のユダヤ人の移民史を扱い、冷戦終結後に旧ソ連域から100万人がイスラエルへ、30万人が米国へ移住したため、現在、旧ソ連域に留まっているユダヤ人は17・6万人にまで激減している。

そういえばウズベキスタンのサマルカンドの

下町をうろついていたときに付近の町並みの風景からやけに孤立したシナゴーグにぶつかった。一人だけ番人の老人がいて、淋しげに「みんなイスラエルへいっちまったさ」とつぶやいていた。

ウクライナでも、かつて繁栄した港町の経済を牛耳り、町のど真ん中にユダヤ人コミュニティがあった。6年前に訪れたときは、廃屋が目立った。ウクライナからもユダヤ人が去った。

歴史的にはユダヤ人の移民はスペインにおける迫害から始まり、最初はキューバへ向かったという。それから南米へ渡るが、じきにスペインでユダヤ排除が本格化したため多くがポルトガルへのがれ（15万人と本書は推定している）、そこでキリスト教に改宗するか、ほかのさまざまな国に散った。つまり最初の移民はアシュケナージではなくて、セファルディであり、かれらは貿易、技術、土木建築に才能を発揮した。

16世紀末にユダヤ人に門戸を開いたのはオランダだった。オランダは貿易実務の才能を利用し、その富の活用も計算に入れた。こうして移民はセファルディが中心だった。のちの東ヨーロッパから大量に押し寄せるアシュケナージは、主としてドイツから、ついでロシアからが多かった。

「一七七六年時点で、この都市（NYのこと）に三〇〇から三五〇名のユダヤ人が居住していた。当時北米のユダヤ人は約二〇〇〇名である」（上巻、52p）。

交易に長けていたので倉庫業から不動産開発に手を染め、ジョン・ジェイコブ・アスターは全米一の富豪になった。

一方、欧州からの移民はドイツが主力となって、ナポレオン戦争を挟んで一時途絶えたが、「一八四〇年までに、（ドイツの）バイエルン地方から少なくとも一万人のユダヤ人が（アメリ

カ）合衆国へ移住した」（上巻86p）

移民当初、迫害され、差別され、地域によってはゲットーに暮らしたユダヤ人が差別と闘い、そのためには医者、弁護士、大学教授、科学者、そして新聞記者を目指した。移民一世らは勤勉だった。こつこつと小金を貯め、親戚を呼び寄せ、コミュニティをつくり、そして今日、米国連邦議会にユダヤ人議員はおびただしく、大統領選挙の緒戦はユダヤ団体からの寄付と同意が暗黙裏に必要である。なにしろアカデミズム、ジャーナリズム、ハリウッド、ウォール街にユダヤパワーは浸透している。そのおそるべきユダヤ人たちの実力の源泉はいったい何であるのか。

ハーバード大学は、もとはといえばプロテスタントの牧師養成塾である。そのハーバード大学が世界一流といわれるが、一時期はユダヤ人の入学を制限していたのだ。いまや政治経済論壇で大活躍の多くがユダヤ人である。ヘンリー・キッシンジャーしかり。ノーベル賞受賞者のなかにユダヤ人を見つけるのは簡単である。それほどおびただしいからだ。

映画産業がおきたときに、この新ビジネスに飛びこんだのはユダヤ人だった。だからハリウッド映画の俳優の多くはユダヤ人かイタリア人である。ジャーナリズムの世界ではリベラルの巣窟ニューヨークタイムズを筆頭に、ユダヤパワーが浸透しているし、テレビもそうである。しかもアメリカにおけるユダヤ人の7割は民主党支持者。共和党が少ないという特色がある。

本書は1989年までの歴史で叙述は終わっているが、その後、カジノ王だった故シェルドン・アデルソンは親トランプだった。世界一の投機家、ジョージ・ソロスは反トランプの先頭に立っていた。ブルームバーグは個人の巨額資産を投じて反トランプ運動に動いた。そのトランプは群を抜いて親イスラエル路線を突っ走った。

つまりアメリカにおける現在のユダヤ社会は分裂している。

ならば米国連邦議会は誰が支配しているのか？　驚くべし、連邦議会上下両院にユダヤ人議員が37名もいることが「エルサレム・ポスト」(2021年1月14日付け)の分析でわかった。

内訳は上院に10人（じつに10％）、下院は24人＝6・2％（このうち民主党員22人、共和党員2人)。とくにNY選出のチャールズ・シューマーは上院初のユダヤ人多数派指導者となる。

ユダヤ人上院議員は全員が民主党である。

・マイケル・ベネット（コロラド）
・リチャード・ブルーメンタール（コネチカット）
・ベン・カーディン（メリーランド）
・ダイアン・ファインスタイン（カリフォルニア）
・ジョン・オソフ（ジョージア＝新人）
・ジャッキー・ローゼン（ネバダ）
・バーニー・サンダース（バーモント）
・ブライアン・シャッツ（ハワイ）
・チャールズ・シューマー（ニューヨーク）
・ロン・ワイデン（オレゴン）

以下は下院のユダヤ人民主党員リストである。

・ジェイク・オーチンクロス（マサチューセッツ）
・スザンヌ・ボナミチ（オレゴン）
・デビッド・シシリン（ロードアイランド）
・スティーブ・コーエン（テネシー）
・テッド・ドイッチ（フロリダ）
・ロイス・フランケル（フロリダ）
・ジョシュ・ゴットハイマー（ニュージャージー）
・サラ・ジェイコブス（カリフォルニア＝新人）
・アンディ・レビン（ミシガン）
・マイク・レビン（カリフォルニア）

・アラン・ローエンタール（カリフォルニア）
・エレイン・ルリア（バージニア）
・キャシー・マニング（ノースカロライナ＝新人）
・ジェリー・ナドラー（ニューヨーク）
・ディーン・フィリップス（ミネソタ）
・ジェイミー・ラスキン（メリーランド）
・キム・シュリエ（ワシントン）
・ブラッド・シャーマン（カリフォルニア）
・エリッサ・スロットキン（ミシガン）
・デビー・ワッサーマン・シュルツ（フロリダ）
・スーザン・ワイルド（ペンシルベニア）
・ジョン・ヤルムート（ケンタッキー）

下院のユダヤ人共和党員は2人いる。

・デビッド・クストフ（テネシー）
・リー・ゼルディン（ニューヨーク）

バイデン政権は「トリプル・ブルー」（政権、上下両院議会で民主党が多数派となった）の実現に喜んでいるようだが、実態はユダヤ政策で大きな圧力がかかるだろう。

トランプが地殻変動を招いた中東の秩序は、バイデンのパリ協定復帰によって米国が再び原油輸入国に転落するだろう。したがって中東政策はサウジ重視に戻らざるをえなくなる。

ところが米国議会の民主党議員たちは、ほとんどがイランとの核合意復帰に賛意を示しており、ユダヤ人議員も多くがネタニヤフ政権に批判的という矛盾を抱えているのである。

第三章

国際政治の同盟関係が組み替わる

親日国ミャンマーの憂鬱

かねてから筆者は「米国は敵と味方を間違える天才」と考えてきた。

旧ソ連のスターリンに武器援助し、暴力革命を助けたのは米国だった。反共の蔣介石を袖にして共産主義の毛沢東に政権が移行するように仕向けたのも米国だった。ＩＳ（イスラム国）の源流となったアルカィーダを育てたのも米国のＣＩＡだった。

現下、中国を包囲し、軍事力の拡大を阻むと公言しつつ、敵をしぼりこむならまだしも、バイデン政権がやらかしているのは戦略的思考からいって愚策である。すなわち米国はロシアを味方に引き込み、中国を背後から牽制する地理的条件の有効活用をするべきなのだ。それなのにバイデンはプーチンを「人殺し」呼ばわりし、米露関係の修復は期待薄となった。ロシアは中国と組んで陰険なハッカー戦争を継続するだろう。同様に米国外交の失敗になりそうなのが対ミャンマー政策である。

一方、敵を間違えないのは英国である。ジョンソン首相の思考範囲には日英同盟の再構築という戦略がある。

ミャンマーで軍事クーデターが起こり、欧米はただちに非難した。米国はミャンマーの国軍幹部、ならびに軍経営の在米資産を凍結するなど迅速に制裁を実行した。国際政治は基本が地政学であり、諜報戦争が重要であるとすれば、米国の選択は短絡的でありすぎ、そこに長期の戦略性がない。

制裁を強化すればミャンマーは中国に接近せざるをえなくなる。米国外交の近視眼は、目先の人権にこだわるという米国内メンタリティが強迫観念としてあり、外交の選択肢を狭めるのだ。しかし米国の圧力を前に独自の立場を貫徹できない日本は制裁に追随せざるをえない。

ミャンマー国軍はなぜ立ち上がったか？

一言で言うと、アウンサン・スーチーが「化石化」していたからだ。すでにスーチーは「民主化のイコン」から「落ちた偶像」となって、欧米が声高に「ノーベル平和賞を返還せよ」としていた。それもロヒンギャ問題で、軍の強硬策になにも対応しなかった。欧米におけるスーチー批判をミャンマー国軍は見ていた。

クーデターを起こせば、タイで民衆がクーデターを支持したように歓迎されると誤断していた。また西側のミャンマー投資はブームに近く、おさまることはないだろうと楽観視した。なぜなら西側に対しては、中国に近づくそぶりを見せれば牽制できると踏んだのだが、この予測は甘すぎた。欧米の論調は、クーデターを短絡的に「民主主義の敵」とする。だから欧米諸国はまた一転してスーチーを民主化のシンボルに祭り上げた。

ミャンマー国軍の計算違いは、国内の反応にもあった。百万人規模のデモが発生するとは考えていなかった。与党指導者の様子を見ていれば、大規模なデモなど組織できるはずがないと踏んでいた。ところが若者の感覚はまったく異なって、軍を怖れない。すでにスーチー時代になって10年の歳月を経過しているのだ。

この10年間に若者がすっかりデモクラシーに馴《な》れきったうえ、スマホの流行でSNSが抗議集会を組織できるほどに「成長」していたのだ。しかも仲の悪かったビルマ族以外の少数民族が抗議デモに参加した事態も軍には衝撃だった。シャン族、カチン族、カレン族、モン族らもデモ隊のなかにあった。地域差も目立たなくなっていた。ラカイン州を除くミャンマー全土で抗議デモと集会の風景が拡がった。

従来のミャンマーの構造は首都ネピドーが山奥の森林地帯にあり、ヤンゴンにつぐ第二の都市マンダレーはチャイナタウン化した。大都会のヤンゴンはいつしか出稼ぎがおびただしく流入して従来的な価値観は消滅寸前となっていた。町を歩いてみると、すぐに判明するのは民族衣装を着ていないことだ。若者はジーンズ、若い女性は伝統的衣裳より西側のファッションを好む。筆者が20年前に初めてミャンマーへ行ったとき、ビルマ人の99%は民族衣装を着ていた。バスは屋根の上にも乗客を乗せていた。いまや新車、ベンツ、レクサス。そして北方領土を還せトカの日本語の宣伝文字のある中古車の列。

ヤンゴンのチャイナタウンには出身地別の同郷会もある

　海外への留学、海外への出稼ぎは日本の事情を見ればよくわかる。高田馬場にはミャンマー人のコミュニティがある。ミャンマー国民は日本が大好き、しかもスーチーも短期日本留学経験があり、京都時代は矢野暢《とおる》（当時京都大学教授）の世話にもなった。また同じ仏教の国であるがゆえに日本の仏教界との交流も深い。だからクーデター翌日に在日ミャンマー人の若者が、いきなり１０００人も外務省前に集まって抗議の声を挙げた。ＳＮＳで、それだけの動員が可能となっていた。

　国軍は沈静化をじっと待つ一方で、中国に近づくそぶりを見せた。制裁が長引けば、ミャンマーが中国に頼らざるをえなくなるのは火を見るより明らかであり、欧米の第一の敵が中国であることを知っている。

デモが暴動化し、血の弾圧という手段に出ない限り、アラブの春がいつしか消えたように、時間を稼いでいれば軍への不満は収まると踏んでいた。この目論見は完全に裏目にでた。

2020年1月17日に習近平はミャンマーを訪問し、大々的な経済支援を約束した。とくにパイプラインの起点であるチャウピューの港湾建設と工業団地プロジェクトの本格化を約束した。クーデター直前にも王毅外相がネピドーを訪問した。注目すべきポイントは、習も王も、スーチーとはもちろん会見したうえ憲法上の大統領も表敬訪問しているが、別個に国軍指導者と長い時間話し合っているのである。

日本のように自衛隊論争が憲法解釈のような惚けた国ではなく、ミャンマー国軍は実際に戦争をしており、またイスラム教徒60万人をラカイン地区から追っ払った「実績」がある。厳然たる事実は、この国軍40万人の存在は不動だということである。

2021年3月15日、ヤンゴン北西部のラインタヤにある中国企業の工業団地が襲撃され、工場や倉庫が放火された。とくに繊維工場が狙われ、中国人従業員が負傷した。工場付近の商店も襲撃され、在庫だけで20万ドル分が失われたという。このラインタヤ地区は抗議デモへの発砲で多数の死傷者がでた場所、デモ隊の一部が中国系工場に乱入した。

チャウピューの港。中国はここを近代的港にすると援助を表明

ミャンマーでは１９６７年にも反中暴動が発生し、中国系商人は消えたはずだった。いつのまにかマンダレーなどはチャイナタウン化していた。

２年前に筆者がマンダレーで宿泊したとき、朝から酒を飲んでいたのは中国人ビジネスマンで北京語が飛び交っていた。現在、ミャンマー在住の中国人は40万人、各地に工業団地を建てて人件費の安いミャンマー人を酷使するため評判が悪かった。日本企業はおよそ４００社、ヤンゴン南西部のティラナ工業団地を開発造成し、この団地に集中している。起工式には安倍首相が飛んで、当時のテインセイン大統領との歓迎式典に臨んだ。

ミャンマーで暴動の標的となったのは中

国企業だけだった。日本企業は日の丸を掲揚して国籍を明らかにした。台湾、韓国、シンガポール企業もこれにならった。このパターン、先年のベトナムにおける反中暴動と酷似している。ベトナム人と同様にビルマ人の心底にあるのはアンチ・チャイナ感情である。

良いクーデター、悪いクーデター

国際比較を試みると国民が歓迎したクーデターはタクシン、インラックを海外へ亡命させたタイだった。いまはその熱狂も冷めて選挙が行われると民主派が勝利するだろう。

1973年にタイでは血の日曜日事件が起きて数百人の学生が殺され、この反動でタノム首相の海外亡命となって民主化された。爾来、タイの軍隊も民衆への発砲は避けてきた。

パキスタンでもムシャラフ将軍が腐敗しきったシャリフ政権を倒し、自らが大統領となった。シャリフは海外へ亡命した。

チリでは共産主義者のアジェンデが政権を握り、独裁を目指して大統領府に武器を貯め込んでいた。軍のクーデターは革命側に恨みを残したが、国民の多くが歓迎した。しかしタイでもパキスタンでもチリでも軍政が長引くと、経済が悪化する。このため、いつしか民衆の不満が募るのである。

わが国とて「大化の改新」も「壬申《じんしん》の乱」も、構造としてはクーデターである。大化の改新の嚆矢《こうし》となったのは「乙巳《いっし》の変」で、中大兄《なかのおおえ》皇子と中臣鎌足《なかとみのかまたり》が蘇我入鹿《そがのいるか》を暗殺し、蘇我氏を滅ぼして権力を掌握した。

クーデターが「民主主義の敵」と短絡的に片づけるのは皮相な考え方ではないのか。想像力を活かして福田恆存は中大兄皇子と中臣鎌足に次のような台詞を史劇「有間《ありま》皇子」（昭和36年）の台本で言わせている。

中大兄皇子（後の天智天皇）「鎌足、人を裁くというのは思いの外、疲れるものだな。おれの心は今日の雲のように重い。

汝は不思議な男だ。その澄んだ目にはどのような非道をも行いかねぬ強い張りがある。どのような非道を行おうとも、その目にはいささかの私欲の陰りを宿さず、まことの君子とは汝のことかも知れぬな」

中臣鎌足（後の藤原鎌足）「君子もまた時の世におのずと強いられた役柄に過ぎませぬ。その仮の装いの下にはいかなる邪心のひそみおることか。まつりごとにあずかる者はその苦しみに耐へねばなりませせぬ」

「壬申の乱」の発端は、天智天皇の皇子が吉野へ逃れていた大海人《おおあま》皇子（のちの天武天皇）の殺害を企んでいたことにある。このため大海人皇子が逆に兵をあげ、鈴鹿から尾張へかけての豪族を糾合し大津へ攻め入った。そして権力を掌握し、大津から都を移し、新政治をスタートさせたわけだからクーデターである。

軍がクーデターを試みて大失敗となったのはトルコだった。むしろエルドアン大統領はこれを絶好の機会と捉え、軍を掌握し、政敵だった10万人を公職から追放した。

国軍の盤踞《ばんきょ》（根を張って動かないこと）と利権を守るためのクーデターはエジプトであり、今回のミャンマーである。真逆に宗教の狂信的な集団が政権を奪うと、イランは軍幹部5000名が粛清され、かわって革命防衛隊が代替した。イランの経済利権はこの革命防衛隊が抑えた。ミャンマーの軍事クーデターがどのようなかたちで収まるか、厳重に見守る必要がある。なにしろ日本企業にとってもミャンマーはいまでは戦略的要衝といえる拠点化しているのである。ところで過去十年間、中国とミャンマーは対立関係にあった。ティン・セイン政権時代のダム建設中止により、寒風が吹きすさんでいた。この10年間、ミャンマーに武器供与を続けてきたのはロシアだった。実績は8億700万ドル。

中国が失地回復できたのは、ミャンマー国軍がロヒンギャ62万をバングラデシュへ追いだして国際的な孤立を深めて以降だ。つまり2020年1月17日に習近平がたくさんの土産をもってネピドーを訪問してからだ。2021年3月25日、ネピドーを訪問したロシアのアレクサンダー・フォミン国防副大臣はミン・アン・フレイン国軍司令官と会見し、「死者がふえていることを気にしているが、貴国はアジア太平洋に於けるロシアの友好的なパートナーであり、今後もロシアは武器供与を続ける」とした。ロシア高官のミャンマー訪問はクーデター以後初めてだった。

クーデター直前にロシアはセルゲイ・シュイグ国防大臣が訪問しており、地対空ミサイルシステム、偵察用ドローン、レーダー基地システムなどの供与を約束していた。

イスラエル、バイデンへ不信感

米国にとってイスラエルは同盟国である。バイデン大統領とイスラエルのネタニヤフ首相との電話会談は、じつに就任後1カ月もあとになった。

バイデン政権はイエメンの反政府武装集団でイランの支援を受けた「フーシ」をテロリスト・リストから外した。フーシは歓迎声明を発表した。

サウジアラビアは激怒、イスラエルは「やっぱりか」と失望と疑念が混ざったバイデン政権への不信感を拡げる。バイデンの中東外交は最初からつまずいた。

フーシはスンニ派からの蔑称《べっしょう》で、かれら自身は「アンサール・アッラー」（神の支持者）と呼称し、スローガンは「アメリカに死を、イスラエルに死を、ユダヤ教徒に呪いを、そしてイスラムの勝利を」。中東の政治地図ではスンニ派とも敵対している。フーシをイランが背後で支援したと米国が認定したのはサウジ攻撃に使用されたミサイルがイランのミサイルの部品だったからだ。当時、ニッキー・ヘイリー米国連大使は、証拠を提示して国連に制裁を訴えた。

さてイスラエル国防省諜報部門は「イランのナタンズ核施設はウラン濃縮施設であり、その責任者のファクリダデ博士は殺害された（おそらくモサッドが実行）が、2年以内に核武装するだろう」と予測する報告書を作成した（『エルサレム・ポスト』、2021年2月9日）。

イランの脅威は増大しており、バイデンが進めるイランとの核合意復帰などもってのほかだとしている。イランの革命防衛隊は沿岸警備隊的役割をもつボート部隊をもつ。最近、340隻を増強し、ロケット・ランチャーに加えて一部がドローンを搭載していることが判明した。

革命防衛隊はすでに北朝鮮の魚雷搭載の簡易型潜水艦のTAEDONG（B）、ならびに中国から「チャイナ・キャット」C14（ミサイル装備の小型船）を導入している。これらは高速でペルシア湾を遊弋《ゆうよく》している。

中東はまたまた地域戦争の発火点になりそうだ。

そこでイスラエルは周辺国から世界のめぼしい国々との関係改善を強化する。昨師走にはブータン王国と国交を開いた。

２０２０年12月12日、インドの首都ニューデリーのイスラエル大使館で覚え書きを交換し、正式に両国は国交を結んだのだ。アラブ諸国でもＵＡＥ、バーレーン、モロッコと相次いでトランプ政権の後押しもあって国交を開いてきた。イランはイスラエルを絶滅すると宣言しているが、このイランに同調するイスラム国家が減った。そのうえ米国はテルアビブからエルサレムに大使館を移転し、トランプ大統領の女婿ジャレッド・クシュナーが頻繁にテルアビブ、サウジアラビアに飛んで下交渉の段取りをつけてきた。ＵＡＥ、バーレーン、モロッコはイスラム教の国であり、天敵とイスラエルを位置づけてきたのだから、国交を開く意味は、宗教的対立を考えると画期的なことである。

また社会主義を標榜する北朝鮮、キューバ、ベネズエラもイスラム国家とは別の理由でイスラエルとは国交がない。

しかしブータンは山国であり、仏教国であり、イスラエルからみれば対立するべき理由は何もない。

ＧＤＰではなく、ＧＨＰ（国民総幸福量）で世界一の評判を取るブータンは山岳国家で、海はない。人口はわずか77万人、90年代まで厳密な鎖国政策をとってきた。町を歩いてもスマホは稀《まれ》、テレビはほとんどの人が見ないから、町内会の盆踊りのような大会が王宮で開けられると全土から人が集まってお祭りとなる。筆者は1週間ほどブータン各地を旅行したことがあるが、日本にいて仕事に追われ時計とにらめっこという時間の概念を忘れる空間が拡がり、じつは幸せを感じたのだ。

ハリウッドの有名な俳優が町を歩いても誰も気がつかない。赤い唐辛子を好み、カレーはインドより辛いのが特徴だ。

それでも最近は、外貨稼ぎのためツーリスト・ヴィザが緩和された。ただし週200ドル以上という強制両替がある。ツーリストの収入で経常収支を維持しているが、貿易はほとんどがインド、安全保障もインドに依存している。

ブータンは厳密な鎖国政策をとってきたゆえに、イスラエルと国交を開くという差し迫った政治的理由はなかった。背後で動いたのはインドだろう。中国の侵略にあっているブータンはイスラエルの武器が欲しい。

国土の大半が山岳であるため、防衛ラインが明確ではなく、ブータンは中国軍の侵入に悩み、またベンガルから出撃してくるマオイストの武力闘争に頭を痛めてきた。冬虫夏草を盗みに這入り込む山賊まがいの侵入者も、主として中国人だ。取り調べもパトロールも展開するだけのゆとりがなかった。

冬虫夏草を盗みにくる理由は、この冬虫夏草がガンに効く特効薬という信仰が中国人にはあるためだ。甘粛省の蘭州などは目抜き通りに100軒ほどの冬虫夏草専門店が並んでいて、薬剤原料をもとめてどこへでも彼らは無断で「収穫」に出かけるのである。

インドが仲介しての唐突な印象のある国交回復の背景には、イスラエルからの防衛武器援助への期待があるとみて差し支えないだろう。

ジョンソンの英国も対中制裁

中英関係が根底的に揺らぎ始めたのは、香港問題である。

2019年の香港大乱、民主活動家への弾圧は、その後、中国共産党の一方的な「国家安全維持法」の制定となって、「一国二制度」を実質的に崩壊させた。香港は中国の植民地となった。

1997年の返還条件だった約束は見事に踏みにじられ、英国は怒り心頭となった。

英国は香港市民300万人に特別滞在許可を認めるパスポート（BNO）を発行したが、中国はこのパスポートを無効とした。英国の方針転換はカナダ、豪、NZへ跳ね返り、いま一番派手な喧嘩は豪と中国の、はてしなき貿易戦争となっている。

英国はさきに中国CCTV（中国中央電視台）の英国における英語版放送局CGTN（中国グ

ローバルテレビジョンネットワーク）の放送免許を取り消したが、2月7日にはジャーナリストを偽装して英国で諜報活動をしてきた中国人3名を摘発し追放した。さらに英国メディアは、「英国国会がスパイ規制の新しい法律を立法する動きがある」と伝えた。

この日、バイデン大統領はインドのモディ首相と電話会談にのぞみ、日米豪印の4カ国が軍事演習などで共同する「クアッド」が極めて重要とのべた。また「もっとも深刻な競合者としての中国の挑戦が米国の利害を侵害すれば、ためらうことなく対応する」としてトランプ前政権以来の対中強硬策の堅持を訴えた。

米・英が豪、加、NZと高度な情報を共有する「ファイヴ・アイズ」に日本を加えて、「シックス・アイズ」とする方針が示されている。しかし日本はスパイ防止法がない限り、この要請には対応できないのが、いまの実情である。

日本人が気づかないうちに国際情勢はここまで変貌を遂げているのである。

ウイグル問題は人道の立場から介入

米国はウイグルの弾圧を「ジェノサイド（大虐殺）」と正式に認定した。

1月27日、新国務長官指名を上院で承認されたブリンケンは初の記者会見を開催し、対中政策に変更はないこと、ついでトランプ前政権末期にポンペオ国務長官がウイグルにおける弾圧を「ジェノサイド」と認定したが、ブリンケンは「この認識に変わりはない」とした。つまり対中国政策に関して「人道主義」を前面に出しトランプ路線を継承すると明言したのだ。

3月1日、新しくＵＳＴＲ（アメリカ合衆国通商代表部）のトップに座ったキャサリン・タイ代表も中国の人権侵害に「最優先で対応し、対中貿易を規制する」とした。

シリア内戦時、テロリストのＩＳ（イスラム国）に走ったウイグルの若者は１０００名前後といわれた。東トルキスタン独立運動（ＥＴＩＭ）系の過激派は、中国共産党に「血の復讐」を誓い、中国人民解放軍に戦いを挑めとビデオを配布した。驚き、かつ恐怖心にかられた中国は、シリアなどへ特殊工作班を派遣した。ＩＳ幹部に武器を流すなどを条件に、メンバーのなかのウイグル族を割り出した。また情報筋によれば、戦闘の一番激しい地区に彼らを配置するように工作したともいう。中国は明らかに自分たちが次のＩＳの標的になることを危惧《きぐ》した。

ＩＳに加わっていたウイグル族の戦闘員はその後、パキスタンからアフガニスタンへ潜入し、新疆ウイグル自治区に近い場所に秘密拠点を設けた。中国は「上海協力機構」を拡充してカザフスタン、キルギス、タジキスタンのほか、パキスタンやイランもオブザーバーに加えて捜査協力を求め、いわゆる「テロリスト」の摘発に乗り出した。

中国の異常な警戒感はウイグルの監視強化、取り締まり、過激派とつながる可能性のある若者を拘束し、海外に留学する若者も帰国させ、ほとんど全員を拘束した。街中は監視カメラだらけ。拘束を逃れたウイグル族の活動家らはトルコに拠点を移動させた。

ところが米国はアフガニスタンでの戦闘に没頭し、背後で中国の協力を必要としたため、不覚にもETIMなどを「テロリスト」に認定した。オバマ政権における国務省のやり方である(今度のバイデン国務省の人事で国務次官補にビクトリア・ヌーランドが入っているのは注視すべきだろう。彼女はウクライナ民主化を背後で煽動した。夫君はネオコンのロバート・ケーガンだ)。

多くが獄中で死んだが、実態はなかなか暴露されなかった。そのうえで強制収容所を設置し、100万人のウイグル族をぶちこんで洗脳教育を施した。ウイグルの娘たちには漢族男性との結婚を奨励し、かたちを変えたエスニック・クレンジング(民族浄化)を行った。ボスニア、セルビアの内戦では民族浄化を激しく攻撃した欧米はこのとき、沈黙していた。

事態は急変し、西側は中国ウイグル自治区における虐殺蛮行を「ジェノサイド」と非難することとなったが、さてはてユニクロの不買運動ごときを怖れ、中国非難の列に入らない臆病者がいる。

ブリンケン国務長官はトランプ政権からの「ジェノサイド」非難を踏襲すると言明した。カナダ国会も議決した。トルードー首相は棄権するという際どい演技を見せたが、あの弱腰リベラルの国、カナダさえ「ジェノサイド」と言い、オランダも続いた。ところが日本政府は4月現在、まだ認めていない。日本政府は北京と財界の顔色をうかがい、政権与党とその連立相手は腰砕けである。中国を激しく非難しているのが日本共産党という矛盾した政治構造になっている。

ウイグルからの亡命者で日本で教鞭《きょうべん》を執るムカイダイス女史の書いた『ウイグル・ジェノサイド』（ハート出版）のなかで、もっとも重要な訴えがある。

「ウイグル人にとって『新疆ウイグル自治区』は、ウイグル人が平和のために戦争を放棄した結果、中国共産党に騙された結果、母なる祖国のために犠牲をはらうことを怠った結果なのである」

まさに明日の日本の危機を、これほど直截に比喩《ひゆ》した言葉はないだろう。戦いを放棄した結果、中国の植民地に陥落してしまったのだと訴えているのだ。言葉を奪われ、宗教を奪われ、資源と食糧を奪われ、核実験場に利用され、虐待され、搾取され続けるウイグルは、中国が侵略したのである。それまでには歴とした「東トルキスタン」という国だった。中国の植民地に成り下がってしまったが、ウイグルの民は自尊心を失わず、正義の訴えを国際世論へ投げかけている。

不思議なのはＩＳの沈黙である。

第一にＩＳの戦略的な、組織的な沈黙は、米軍の撤退をにらんでのことである。つまりトランプ政権が進めたようにアフガニスタンとイラクからの米軍の撤退が予定通り続けば、いずれ軍事力、ゲリラ対応部隊のバランスが崩れ、ＩＳにとってはテロ再開のチャンスが来ると計算しているからだ。

第二にウイグル自治区における監視態勢は潜入を難しくしており、反政府工作員との連絡もままならず、秘密アジトのほとんどが摘発されて武器の搬入が難しい。ブリンケン国務長官の発言は是とするだろうが、所詮《しょせん》、リップ・サービスであり、反体制武装組織に武器供与するような秘密作戦はないだろう。

第三に本来なら支援にまわるべきイスラム国家が、中国のカネに沈黙を余儀なくされている。アンチ中国の武装集団の兵站《へいたん》基地となる可能性は望み薄である。

第四はトルコのエルドアンが反米、親ロシア、そして中国のカネに期待して中国が条件とする一部のウイグル族の帰還にさえ応じる気配があった。ワクチン１０００万本と引き換えが条件だったが、エルドアンは送還を拒否した。トルコがウイグル族と同じチュルク系であり、これまでは拠点化を黙認してきた。しかし監視が強まったことで、活動家はイスタンブールの拠点を捨て、ミュンヘンに移動した。

第五に米国のバイデン政権が人権を優先するということは、国連重視で多国間の協調を旨とする目的があり、時間がかかりそうなこと、国連の工作は中国が一枚上であり、国際社会からのウイグル独立支援は望み薄なこと等である。

こうみてくると、とりわけ中東で注目はトルコ、そして対応能力のにぶいバイデン政権が、どういう外交にでてくるかにかかっている。

おりしも英国とEUの離脱交渉（BREXIT）は、EUと中国との包括投資協定に合意する直前の2020年12月24日に急転直下、合意に達した。FTA（自由貿易協定）交渉の詰めの段階へきても、双方は「漁業権」がこじれていたが、これも解決し、従前のように関税ゼロが維持されることとなった。漁業権は英国の領海でEU諸国が漁獲をしている枠組みを今後5年間で25％削減する。英国は80％の削減を主張していたから大幅な英国の譲歩である。この結果、英国漁民に甚大な被害が早くも報告されている。

EU側が急速に歩み寄ったのはバイデン政権誕生前の駆け込みだった。ともかく2016年6月の英国EU離脱宣言以来、交渉はいくども暗礁に乗り上げ、頓挫《とんざ》したため直前まで絶望的な雰囲気が漂っていた。

つまり欧州と英国を亀裂に追いやっていたBREXIT問題は、一段落したということである。

スリランカの動揺

かつての英国領セイロンはいまのスリランカである。スリランカ政府はブルカとヒジャブ着用禁止へと動いた。

イスラムの女性が顔を隠すブルカ（完全な覆面、アフガニスタンに多い）、ヒジャブ（顔を出すタイプが多いが、目だけを出すタイプもある）。世俗的なイスラム国家のインドネシアなどは頭巾という感じでファッション化しているが。

最初に禁止したのはフランスだった。２０１１年に厳格に法適用に踏み切り、ブルカ、ヒジャブの公共の場所での着用を禁止した。違反したイスラム女性１６００名を逮捕。罰金刑が科せられた。

次にスペインへ飛び火し、２０１３年には「公共の場所」での着用が禁止された。

いずれもイスラム系過激派のテロ事件が頻発し、社会的にイスラムへの脅威が声高に語られていた。イタリアも続いて禁止したが、一部の都市では地方議会が反対し、実施されなかった。

現在、欧州に吹き荒れるイスラムの脅威論によるブルカならびにヒジャブ禁止国は、ベルギー、オーストリア、ブルガリア。部分的な規制を課している国は英国、ドイツ、スウェーデン、デンマークである。

そして最近、スイスで国民投票が行われ、51%の賛成でブルカ禁止に踏み切った。全欧のイスラム人口は2500万人。しかも失業がおびただしいため、犯罪に走りやすい若者が目立つ。一方、ブルカ着用を解禁している「寛大な」国もあってノルウェー、オランダなど。欧州ではイスラム過激派のテロを目前に見ながらも女性の権利、人権、服装の自由などを擁護する団体が多い。

さてスリランカである。ラジャパクサ政権は、近くブルカ禁止令の発令に踏み切る。そのうえスリランカ政府はイスラム系の学校およそ1000校を休校する計画をしている。イムラン・カーン（パキスタン首相）がスリランカを公式訪問したとき、例外的にブルカ、ヒジャブ着用が解禁されたがすぐに戻った。

スリランカは仏教徒が大半だが、北西に盤踞したイスラム系住民との「タミル戦争」で数十万が犠牲となり、その戦争を指導したラジャパクサ（兄）が大統領となった。ところが中国との黒い関係、とりわけハンバントタ港が中国海軍の軍港に化けたため落選し、4年後に弟が大統領となって治める。何のことはない、首相は、兄であって事実上ラジャパクサ（兄）政権の復活である。

スリランカでは2019年4月21日にコロンボなど8カ所で爆弾テロ事件が発生し、259名が死亡、数千が負傷した。なかに日本人5名（このうち1名が死亡）が被害にあっている。直後にブルカ着用が禁止された。このテロはキリスト教の復活祭を選んで、キリスト教会や西洋人の多い高級ホテルが狙われた。犯人は全員が逮捕されたが、いずれも富裕層の子弟が多く、日本人のJICA（国際協力機構）関係者が銃殺されたバングラデシュでのテロ事件（2016年7月1日、日本人7名が死亡）でも犯人の若者らが富裕層の子弟であった。

富裕層として貧困を目撃して自責の念が短絡的に、そして直線的にイスラム過激派の洗脳に引っかかるのだ。

トルコの扱いにも見識が問われる

中東政治の地殻変動の主人公はPLO（パレスチナ解放機構）やISから、今度はトルコに変わった。

英国とトルコがFTA（自由貿易協定）レベルを超えた包括的交渉で合意した。2020年12月31日だった。駆け込み合意によりトルコと英国は「戦略的パートナーシップ」の締結へ向かって走り出した。「次の段階」は農作物ばかりか貿易関税ゼロからサービス産業、デジタル経済、投資の自由化などが協議される。

トルコのエルドアン大統領は2021年1月9日に、フォンデアライエンEU委員長と会談を行った。EU・トルコのFTA交渉の進展に関して討議したあとで、明るい展望がでてきたと語った、とトルコの新聞が報じた。

かつては「中東の覇者」としてオスマントルコ帝国が輝いていた時代があった。トルコとEUが揉めているのは、戦後一貫しての領土問題、いわゆる「キプロス」だったが、近年の難題はシリア難民である。いまも400万人ものシリア難民をトルコが引き受けているのだ。そのうえフランスなどはアルメニア問題でトルコを非難し続けているため、なかなか溝が埋まらない。

また米国とは、エルドアンが進めるイスラム化への懸念もあるが、最大の問題はロシアからS400ミサイルシステムを導入し、米国のF35を蹴飛《けと》ばしたからだ。そのうえロシアのパイプラインがトルコを経由して南欧につながるのも、西側にとっては安全保障上の懸念材料となる。

したがってシリア内戦、シリア難民の大量保護、西側との軋轢《あつれき》、これに加えてのコロナ禍で、頼みの観光が壊滅状態となり、経済は落ち込んでいた。トルコ観光はロシア、中国から多少の観光客、くわえてドイツのツアーがあるとはいえ、年間2000万人のツアー客はほぼ蒸発している。

ところがトルコのGDP成長は2019年にマイナス転落を免れ、4・5%を記録、2020年第1四半期は4・9%だった。直後からのコロナ禍で新しい統計はまだ出ていないけれどもゴールド産業が発展しそうである。トルコにはたくさんの金鉱山がある。既存の金脈に加えて最近も、トルコ中西部のソユット地区で埋蔵99トンの鉱区が発見された。トルコでは世界最古の文明とされる古代都市が発見されている。発掘作業が手間取り、世界の考古学者が大いなる関心を示しているものの、クルド問題とシリア内戦の影響で作業があと回しになった。

当該ギョベクリ・テペ遺跡は、紀元前1万年〜紀元前8000年の間に建造されたことが、放射性炭素年代測定によって判明している。石器時代（後期・旧石器時代〜中石器時代）である。この遺跡はアナトリア東南部の台地にあってドイツ・チームの発掘が1999年から2014年まで続いた。全貌が明らかになれば、従来の世界史、考古学の年表がひっくり返る。

金鉱山の開発と金生産が開始されたのは2001年。外資が導入され、採掘が進んでいたが、トルコの強引な労働現場の悪環境、自然環境保護などの問題で自然保護団体や野党が非難し、外資系企業は撤退した。これら諸問題が、エルドアン政権を追い詰めてきた。にもかかわらず過去20年間にトルコは382トンの金を算出した。2019年には38トン、2020年には42トンに達し、金を好む近隣中東諸国に輸出された。シリア問題がメディアの話題に上らなくなって久しいが、トルコ経済の回復は中東の安定材料でもある。

コソボという小国も大問題だ

イスラエルがイスラム国家のコソボと国交を開いたのは2020年9月4日だった。それまで12年間、イスラエルはコソボを独立国としては認めていなかった。急転直下、コソボはイスラエル大使館をエルサレムに開設する。日本のメディアが報じたのはわずか数行。ほとんどの新聞は無視した。

このニュース、重要な意味をもつのである。

前述したように2020年、中東の政治に地殻変動が起こり、UAE、バーレーンなどがイスラエルと国交を結んだ。トランプ政権がイスラエルにテコ入れした結果である。ところがバイデンとなって、イランとの核合意を復活すると言い出したので、イスラエルと米国の蜜月はまもなく終幕する可能性が高い。あまつさえネタニヤフ首相はバイデンとは馬が合わない。

トランプ前大統領は米国大使館をテルアビブからエルサレムへ移転した。アラブ諸国の反応を注視していたが、激烈な反対も報復措置もなかった。しかし主要国家の多くは米国にならってエルサレムへの大使館移転をしなかった。その状況下、いきなりエルサレムにコソボが大使館を開設するというのは異例と言ってよく、イスラエル外交の勝利ともとれるだろう。

　バイデンはエルサレムへの大使館移転を覆さなかった。

　そこでエルサレムの米国大使館は大増設工事を開始し、２０２６年の完成を目指して突貫工事、７００人の建設労働者が10階建てのメインビルを含む複合施設の建設に励んでいる。敷地面積は5万平方メートル。場所はヘブロン通りの住宅地の高台。


　イスラム国家は、これまでイスラエルの国家の生存を認めてこなかった。コソボはイスラム教徒の国となっており、旧宗主国セルビアは東方正教会系のセルビア正教。筆者がユーゴスラビア時代に取材した折、教会のひとつに入って、土産にペンダントを買おうとしたら、「貴方は何教徒か？」「仏教徒です」「異教徒には売れない」と言われた。

　ましてコソボを独立国として認めていないのが中国、ロシア、スペイン、キプロス、ギリシア、ルーマニア、南アフリカ、インドネシア。もちろんかつての宗主国セルビア、ブルガリアなど85カ国は認めていない。

　２００8年の独立時点で欧米主要国と同時に日本はコソボ独立を承認した。この時点でじつは台湾もコソボ独立を承認した。このころの台湾メディアはコソボ独立こそ台湾独立のモデルになると連日大きく報道していた。

独立国とはいっても、コソボは軍隊もなければ独立国の体をなしていない。欧米の地政学的な身勝手な論理が独立を支援したのだ。失業率30％、ひとり当たりのＧＤＰはわずかに４４００ドル前後。それでいてコソボの通貨はユーロ、つまりはＥＵの保護国である。若者の多くは外国へ出稼ぎにでた。

コソボの人口は減ったり増えたり、戦闘があれば数十万の難民がすぐに発生する。面積が岐阜県くらいしかなく、人口は１８０万人（岐阜県は２００万人）。コソボの人口構成は、セルビア人が出て行ったため、ほとんどがアルバニア人となった。これこそ「静かなる侵略」の典型だろう。

アルバニア人はオスマントルコ帝国のときに、いち早くイスラム教徒に改宗した。セルビア正教を頑なに護るセルビア人がユーゴスラビア連邦時代に政治の主導権をもっていたので、コソボは自治州だった。いまもセルビアは「コソボ・メトヒヤ自治州」と呼んでいる。大統領だったチトーが死ぬと、それまで潜在化していた民族対立、宗教対立のマグマが大噴火し、殺戮《さつりく》、強姦、民族浄化、強盗、暗殺等々、何でもござれ。セルビアはボスニアやクロアチアとも戦闘を続けていたため、コソボにエネルギーを割けず、アルバニア系の武装集団が乗っ取ろうとしていた。

ところがＥＵはセルビアを敵視し、ベオグラードなどへ空爆を拡大したため、コソボから30

誤爆されたベオグラードの中国大使館跡地（右隣は日本大使館だ）

万近いセルビア人が逃げだした。クリントン時代、米国は空爆に参加した。そしてベオグラードにあった「中国大使館」（隣は日本大使館だ）を「誤爆」（クリントン政権の言い訳）したのだ（セルビアとなって以後、中国大使館は旧市内に移転）。

この西側の空爆介入がなければ、セルビアが負けることはなかった。詮無きことを言っても意味がないのでそれは措く。セルビアは外交が下手だったのだ。ところがボスニアやクロアチアはいち早く米国に世論工作隊を派遣し、ロビイストと契約し、広告代理店を駆使し、セルビアをまんまと「悪人」に仕立て上げた。米国は敵と味方を間違える天才だから、このときも誤断した。

コソボへ行ったことがある。あちこちに農地が空いており、空き家が目立った。セルビア系が逃げだしたからだ。

セルビアに限らず、あの時代、欧米はユーゴに同情的だったから、米国への移民が急増していた。このころNYでタクシーに乗ったところ、運転手が道を知らない。きくと「3日前、ユーゴから移民できたんだ」と驚くほどたどたどしい英語で答えた。

コソボにはセルビア正教会の4つの教会堂や修道院を「コソボ中世建造物群」として「世界遺産」とした。デチャニ、グラチャニツァ、ペーチ各修道院とリェヴィシャの生神女教会である。ここにだけセルビア人の修道女がいる。中世の宗教画は荘厳華麗、緑の公園のなかにある修道院を見たときは、悠然とした環境に優雅さを感じたものだったが。

イスラム系のアルバニア人は教会を破壊しかねないので、EU軍が駐留している。筆者が見学したときは、イタリア兵が機関銃で武装して護っていた。

首都のプリシュティナは人口が60万人に膨れあがり、外国の出稼ぎ組からの仕送りもあって綺麗な街づくりが進展した。マザーテレサ・カテドラルがあり、彼女の銅像も立っているが、傑作なのはクリントン大統領の銅像が目抜き通りにあること！　そう、彼の空爆があってこそ独立ができたんだから。日本は先述のようにコソボ独立と同時に承認したが、その後13年間、ウィーンの日本大使館が業務を代行した。ようやく首都のプリシュティナに大使館代理事務所

友人の結婚式に集まったバルカン半島の美女たち

を開設したのは2020年1月、コソボ在住の日本人は7名しかいない。

悪名高かったのは独立を武装闘争で戦ったハシム・サチ前大統領だ。彼が解放戦争時代の武装セクトをまとめた指導者だったために虐殺、強姦、暗殺、誘拐、民族浄化の煽動者だった疑いがあるとし、2020年11月5日にハーグの国際裁判所は有罪を認めた。サチはただちに大統領を辞め、収監された。

ミロセビッチ、カラジッチというセルビアのかつての民族闘争の英雄とされた政治指導者が国際裁判所で有罪判決を受けたように、ようやくにして喧嘩両成敗となった。

栄枯盛衰は古今東西に共通の歴史の原則だ。

カナダの弱腰

カナダ国会は人道主義の立場から中国がウイグル自治区で行っている弾圧を「ジェノサイド」とする決議をして、338議席のうち266人が賛成した。ところがトルードー首相は決議採択に棄権した。

前々から言われてきたことだが、トルードー首相はフェミニスト、LGBTQ（性的少数者）擁護、リベラルのなかのリベラル派で奇妙な政治スタンスを示してきた。第一次組閣では男女同数とすることにこだわった。

「ナショナリズムなんて思考範囲の狭さからうまれるものだ」という迷言もある。

ジャスティン・トルードーはピエール・トルードー元首相の息子、カナダ政界のプリンスと呼ばれ、若くしてデビューしたが国際政治で若輩者扱いされるので、近年は髭をたくわえている。まもなく50歳になる。

TPPは安倍首相の説得で最後になって参加を表明した。トランプとはまったく馬が合わず、つねにトランプの悪口を言ってまわり、米加関係に亀裂が生じていた。また米国の要請にしたがってファーウェイCFO（最高財務責任者）の孟晩舟《もうばんしゅう》を拘束しているが、中国で人質になっているカナダ人2人を釈放させるために、孟晩舟の送還と取引するのではないかと言われている。トルードーならやりかねないだろう。

バイデンとは雪解けになるかと一部に期待もあったが、カナダは米国へ南下させるガスパイプラインをめぐって対立しており、バイデンがパイプライン建設許可を取り消すという暴挙に出たため、両首脳の電話会談（2月22日）も円滑には行かなかった。カナダの損害は数十億ドルにのぼるとされ、トルードー政権の足下を揺らしている。

かくして米国政府はウイグル自治区における弾圧を「ジェノサイド」と規定し、英国、カナダに続いて2月24日にはオランダ政府も同調した。3月22日、カナダは米英、EUに続き中国制裁の列にようやく加わった。いずれ日本も決断を迫られる。

米国議会では北京冬季五輪ボイコットの動きが本格化している。バイデン政権も公式に「参加は未定だ」としている。

同盟国台湾の動揺

台湾でも奇妙な動きがある。

全体的に台湾は西側世界にとって大きな同情を生んでおり、トランプ前政権は次々と台湾擁護の政策を打ち出したが、台湾国民のすべてが米国に親近感をもっているかと言えば、そうでもない側面がある。

それはハイテクの半導体と安全保障議論が結びつくからだ。米国は台湾のＴＳＭＣが世界一の半導体技術をもつため、同社と中国の結び付きに異様な警戒を示す。そこでトランプ前政権はＴＳＭＣの最新鋭工場を米国のアリゾナ州へ建設する提案で交渉を続けて説得に成功した。理由はＴＳＭＣの最先端半導体が米軍のＦ35に使われるからだ。

台湾は中国とのビジネス関係の持続を望み、米国による制裁の規制の網をかいくぐるためにＴＳＭＣのエンジニア３０００名を中国との合弁先に残した。ほかにも優秀なＩＴ技術者らが、中国が国をあげてのＳＭＩＣなどの半導体企業に移籍していた。

その台湾人エンジニアたちの脱出が始まったとサウスチャイナモーニングポスト（３月21日）が報じた。理由は約束された高給はウソだった。台湾の情報通に聞くと、現地妻に美人を得るなどという餌話は最初からなかった。いまさら台湾へもどるのも恥ずかしいが、台湾は半導体景気で沸いている。

その台湾に逆に巧妙に英国企業と偽って、進出した中国企業がある。ワイズコア科技（新北市）とＩＣリンク（新竹市ハイテク団地）の2社は英国企業と偽って、台湾のハイテクセンターに拠点を構えた。ところが内偵の結果、いずれも経営者は中国人で、中国のＩＣ設計シヴィテック社からの派遣だった。この資金を提供していたのが中国のビットメイン科技という暗号資産設計の企業だった。

日本企業はどうかと言えば、引退後に技術を買われたエンジニアが相当数、リチウム電池などの中国メーカーに残り、数年前まではかなり優遇されていた。しかし中国人の技術が追いつくとすぐにお払い箱、約束の退職金など受け取れるはずがない。すごすごと引き揚げても彼らはそれを口外しない。日本人って、そういう特質があるから、なかなか知れ渡らないのだ。いま武漢などに残留した日本人は半導体製造装置、電池技術のエンジニアが多く、トランプ政権が対中輸出を禁止したため、現地で最初から組み立て指導をしているのではないかと言われている。

さて台湾野党陣営に趙少康《ちょうしょうこう》という前立法委員がいる。

かつては国民党にあって馬英九《ばえいきゅう》（前総統）らと一時徒党を組んだが、中華思想の持ち主のため中華統一を鮮明にしなくなった国民党を飛び出し「新党」を結成したこともあった。台北選挙区から立法委員に立候補したときは空前の24万票を集め、一期務めた。が、94年の台北市長選挙で陳水篇《ちんすいへん》に敗れ、その後は「政治コメンテイター」としてラジオ、テレビで活躍していた。

70歳になって何に目ざめたのか、突如、次期国民党主席に立候補を表明し、国民党首脳を慌てさせた。国民党は2020年1月の総統選挙で大敗を喫し、呉敦義《ごとんぎ》主席は引責辞任し、改革派の江啓臣《こうけいしん》と代わったばかりだった。対立候補は国民党守旧派のサラブレット郝龍斌《かくりゅうひん》だった。江68％vs郝32％、守旧派の惨敗だった。

しかも江執行部は「中台合意」を重視せず、台湾として国連復帰を求めるとする独立色を滲ませた路線に転換した。これは92年合意と言われ中国共産党が一方的に宣伝している架空の合意で、李登輝《りとうき》総統（当時）が「そんな合意は存在しない」と否定。蔡英文政権はこの立場だから、台湾の国民党内の中華思想組がこの路線に同調したのである。守旧派の二世が中心だった「新党」は消えてなくなり、かつて国民党秘書長だった有力者の宋楚瑜《そうそゆ》が率いた「親民党」も議席を失い、かわって台湾政界には若者たちの「時代力量」などが勢力を増やしてきた。こうした時代の変化は国民党の存在理由も変化に追い込んだ。

趙少康はパフォーマンスとして政治演出を狙ったのだろう。次期国民党主席に立候補すると言いだした。同時にノーベル平和賞にジミー・ライと、香港民主党創設者の李柱銘《りちゅうめい》は受賞資格が十分にあり、また中国の平和に対する誠意をしめす意味でも、この2人にノーベル賞を付与する運動を始めるなどとした。

趙少康は台湾言論界にあっても目立つだけで孤立しており、その彼が先にノーベル賞に民主活動家をなど言い始めたことは、一見して中国共産党への挑戦とも受けとられるのだが、背後に何か企みがあってのこと、本心からの訴えとは考えにくいのである。

奇妙な動きのついでだから、中国人マフィアについて一言、触れておきたい。2020年12月9日、米国財務省は「14k」の親分、尹国駒《ワンクォックコイ》の在米資産を凍結したと発表した。

一帯一路プロジェクトは中国共産党の利権でもある。べったりと、この国家プロジェクトに張りついて利権をむさぼり、麻薬・売春からカジノ経営、はては不動産投資に仮想通貨取引でも暗躍したのは所謂《いわゆる》「洪門《こうもん》会」と総称されるヤクザである（基本的に洪門会は華僑の親睦団体）。

カンボジアを拠点としてのオレオレ詐欺の上部組織ではないか、という疑念もある。

中国系のヤクザは日本の仁義深いヤクザとは雲泥の差があり、約束は守らず仁義なんて何のことかと裏切りは日常の風景。すぐに殺人事件に発展する。中国大陸、マカオ、香港、そして一帯一路プロジェクトの拡充にともなって犯罪組織「14k」はカンボジア、ミャンマー、パラオ諸島にも進出し、裏社会に深く浸透している。拠点はカジノである。

この「14k」を率いるのが尹国駒。通称は「歯列破壊」（ブロークンテース＝崩牙駒）。1955年生まれの65歳。8年前にマカオの刑務所をでてから杳《よう》として行方知れず。それでいて闇世界に君臨し、一説には中国共産党のメンバーであり、党内幹部に顔が利くという。「14k」はマカオが拠点、「新義安」などのマフィア集団と並び、カジノにまつわる裏ビジネスで肥った。この文脈からカンボジア、ミャンマーでもカジノを拠点に、さらに一帯一路では各地の中国人施設、宿舎のガードマンを引き受ける利権をもつ。習近平は公安部とマフィアの癒着を断ち切るために反腐敗キャンペーンを実施するとしているが、中国共産党とヤクザとの隠れた癒着関係は続く。なぜなら両者の基本的性格は同じだからである。

第四章

GAFAの落日が始まった

国家権力を超えるGAFA

GAFA（グーグル、アップル、フェイスブック、アマゾン）がいつしか「国家」を超える「権力」となっていた。

GAFAに「M」（マイクロソフト）を加えてGAFAMとも言うが、ともかくネット全盛時代である。これまでは新聞、テレビなどの既存メディアが「第四権力」などと呼ばれたが、それ以上の強靱なパワーをもったと考えられる。

SNSが国際情勢を変えた。トランプは2016年にツイッターで力強いメッセージを発信し続け、ヒラリー・クリントンを破った。

ところが国会議事堂乱入事件をトランプのSNSによる煽動だとして、トランプ前大統領のツイッターアカウントを永久凍結した。

これは中国などの全体主義国家で常用される言論統制である。アメリカが言論の自由の国ではなかったことをいみじくも物語ることとなった。さすがに反トランプの急先鋒だったメルケル独首相も、このツイッター社のやり方を猛烈に批判したことは見てきた。

しかし日本ではメディアの洗脳と偏向報道が依然として力をもち、この事件が何を意味するのか、よくわかっていない。

スペインの哲学者オルテガが言ったように大衆とは「ものを考えない人々である」。GAFAの時価総額はアメリカ全体のGDPの4分の1に迫り、まさに「この世をば　わが世とぞ思ふ望月の　欠けたることも　なしと思へば」（藤原道長）の増上慢《ぞうじょうまん》。何をも怖れぬ傲岸不遜の態度は、しかしいつか必ず衰退期を迎える。

アメリカの左翼メディアの偏向もすごいが、その真似をしている日本のメディアもいつしか権力と化けた。重箱の隅を突ついて失言を探し当て、大臣やら五輪委員長のクビを飛ばすのだ。ポリコレ（ポリティカル・コレクトネス＝言葉狩り）が優先し、正論が通らないのは日米共通、欧州はもっと酷いことになっている。

メディア界の極左リベラリズムの跳梁跋扈《ちょうりょうばっこ》はGAFAの傲岸さと同じである。GAFAのトップたちはおおむねリベラルなグローバリストであり、親中派であり、反トランプのグローバリズムに汚染されている。

ところがアメリカには独占禁止法という伝家の宝刀がある。

2020年7月29日、米連邦議会下院はGAFAのトップを呼びつけて公聴会を開催し、「市場の競争を著しく歪《ゆが》めている」と非難が続出した。そして同年10月20日、司法省はまずグーグルを独禁法違反として提訴に踏み切った。序幕戦だった。

12月9日にはＦＴＣ（連邦取引委員会）がフェイスブックを独禁法違反で提訴した。

こうした司法省の動きがあるにもかかわらず、ツイッター社はトランプの個人アカウントを永久凍結し、アマゾンもＳＮＳの「パーラー」というトランプ支持者の運用を停止、またアップルもパーラーの配信を停止する。あたかもＧＡＦＡ共謀のごとき自由の言論排除の動きが高まったなかで独禁法提訴もなんのその、グーグルは端末メーカー「フィットビット」を買収した。


この動きを慎重に観察していたのが中国である。

（そうか、独禁法って手があったな）。

２０２０年10月24日、中国ではアリババの馬雲《ばうん》（ジャック・マー）がシンポジウムで中国の金融政策を批判したところ、同年11月３日突如、アリババ傘下の金融会社「アント」の上場に待ったがかかり、同月24日にはアリババに対してネットセールスで不当な価格表示ありとして８００万円の罰金を科した。４月には３２００億円という空前の罰金。

２０２１年２月４日、アントが金融持ち株会社への転換を計画中と報じられた。当局と事実上合意していると言われ、新持ち株会社はスマートフォン決済のアリペイ、与信業務、保険販売などの部門を収める。つまり金融事業が切り離される模様。またウォールストリートジャーナル（２０２１年３月16日）は、中国当局がアリババに対して傘下の香港の新聞「サウスチャイナ・モーニングポスト」の売却を求めていることも判明したと報じた。その狙いはずばり、中国共産党に楯突《たてつ》くメディアは発行を許さないという一神教的なドグマの露見である。

当初、アリババが同紙を買収したとき、ベゾスがワシントンポストを買収したように、老舗有力紙を駆使しての影響力の浸透が狙いといわれた。しかもアリババは中国共産党の婉曲《えんきょく》的な指令にもとづいてのM&A作戦の行使と推測された。

ところが「サウスチャイナ・モーニングポスト」紙の論調はといえば、中国共産党に批判的であり、経済政策に関しては鋭い分析を続ける一方で、香港の民主化運動にも理解を示してきた。中国共産党の間接支配という狙いがはずれたのである。

独禁法とは無縁と思われていたインテルにも寒風が吹きつけた。別の理由である。

インテルが半導体出荷をやめたために中国のZTEは2018年に倒産寸前にまで追い込まれた。世界一を誇り、最先端半導体工場をイスラエルにも増設して勢いをましたインテルだったが、どうやら台湾のTSMCの技術に抜かれたらしいのだ。

決定打はアップル、グーグル、マイクロソフトがインテルの半導体使用を中止し、英国アーム社設計のものに代替し、内製化を図ったため、窮地に追い込まれた。おごれる平家も久しからず、夏の夜の夢のあと、海に沈んだ。

こうした企業の栄枯盛衰は古今東西繰り返されてきた歴史の鉄則でもあり、明日のＧＡＦＡには独禁法をめぐる裁判が進行する。すでにＧＡＦＡは保守派を敵にまわしたことにより最高裁判所の結審は敗訴濃厚だから、最悪の事態にそなえるべきだと勧告したいところである。

ベゾスは退任を表明した

アマゾンは自覚したようだ。

ＣＥＯのジェフ・ベゾスが退任する。これは「アマゾン王国」の崩壊に予防策を打ちだしたともとれないか。

アマゾンは下請けいじめや不当契約内容。社員から突き上げが凄《すさ》まじくなって労使が対立、そのうえ独禁法裁判である。アマゾンが出版流通に殴り込んで書店をつぶすという残酷な副作用をともなったが、キンドル（電子書籍）の開始は２００７年のことである。瞬く間に世界市場を席巻し、あげくに２０１３年には老舗名門の「ワシントンポスト」を買収してトランプ批判を倍加させていた。

ベゾスは猛烈な労働を従業員にも強いたため、労組が結成されようとしたくらいだ。新ＣＥＯは同社でクラウド事業を立ち上げたアンディ・ジャシー（53歳、ハーバードＭＢＡ）が就く。

２０２１年2月23日、スマホの王者アップルがオンラインで年次総会を開催した。とくにティム・クックＣＥＯが強調したのは「２０３０年までに素材のすべてをリサイクルに切り替える目標に邁進する」と述べたことに注目が集まった。

ＧＭが２０３５年までに全種モデルをＥＶに切り替えると発表したが、米国でも「２０５０脱炭素」（カーボン・ニュートラル）の流れはとまらなくなった。

アルミニウムはボーキサイト鉱を精錬するが大量の電力を使う。リチウムイオン電池は、コバルトなどのレアメタルや、中国産のレアアースを使用する。これらの鉱山では児童労働の問題が起きている。コバルトの最大鉱山はコンゴの奥地、部族紛争が絶えず、旧宗主国ベルギーと米国の鉱山開発会社も株式を中国に譲渡した経緯がある。

レアアースは世界生産の80％を中国が生産するが、これも大難題を抱えていることは前章までに述べた。精錬過程で毒性の強い化学剤を使用するため現場労働者の健康問題があり、加えて労働者のなかに誘拐してきた児童を使っているのではとの疑いがある。

これらに米国の政治は、敏感で必ず過剰な介入をする。

世界最大のレアアース鉱山を国内に抱えながらも開発できないのは、そのためである。テッド・クルーズ上院議員などは法改正し、国防予算からでも国内レアアース鉱山の開発を目指すべきと主張している。ところが民主党多数の議会では同議員の提案など歯牙《しが》にも掛けられていない。

リサイクル産業にとっては「活躍」の時期がきた？

それにしても、ジョー・バイデン政権はどこまで反中なのか？

ジェイク・サリバン大統領補佐官はバーモント州でうまれ、ミネソタで育った。父親はミネソタ大学教授だった。

彼自身はエール大学からオックスフォードへ留学、再びエールへ戻り博士号。ヒラリー・クリントンの側近として外交問題を助言し、オバマ政権ではバイデン副大統領の安全保障担当副補佐官となった。もし2016年にヒラリーが当選していたら、当然、大統領補佐官になっていただろう。バイデン当選が決まると、順当に大統領補佐官に任命され、ただちに行動を開始した。

2020年11月21日に日本や仏独英の当局者と電話会談。中国、イラン、ロシア、北朝鮮の問題や新型コロナウイルスへの対応をめぐって意見を交換した。

11月29日には記者会見を開き、欧州との同盟関係強化を確認すると同時に中国問題に言及して、「新疆ウイグル自治区でのウイグル族迫害や香港の統制強化、台湾への圧力に対し責任を取らせる」と厳しい姿勢を明らかにした。

政権引き継ぎに際しては前任者のオブライエンと会談し、中国を念頭に日米とオーストラリア、インドで形成する枠組み「クアッド」の連携を重視するとし、「中国は米国が分断しているなどと批判して民主主義は機能していないのだから中国モデルが米国より優れていると主張したが、不平等や経済格差などを是正して民主主義の基盤を立て直す必要はあるだろう」と述べた。

またサリバン大統領補佐官はハイテク戦争を捉え直し、同盟強化と同時にＡＩ、量子コンピュータ、バイオテクノロジーなど最先端技術で米国が世界をリードするために大胆な投資を実施すべきだと発言した。そして2月4日、サリバン補佐官は「トランプ前大統領のイラク、アフガニスタンからの撤退計画を中止する」と明らかにした。2月6日にバイデン大統領は「イエメンの武装集団フーシをテロリストリストから除外する」とした。

サリバンは日米豪印のクアッドを重要視しており、「これはアジア版ＮＡＴＯ構築へ向けての『ミニＮＡＴＯ』である」と述べていることに注目すべきだろう。

こうみてくると、ＧＡＦＡの基本路線は、人権、中国、ウイグル問題でバイデン政策と抵触しているため、いずれＧＡＦＡの親中路線は大きな後退を余儀なくされるだろう。

ウォール街の裏切り

ウォール街から中国企業の上場を排除するのがトランプ前政権の基本的な方向だった。最初からいかさま臭かった中国企業のラッキンコーヒーなど数社は売り上げの不正申告、情報の虚偽などにより上場が廃止された。

ところが2020年、中国企業はウォール街に上場し続け190億ドルを調達していた。一方で、中国の有名企業のドル建て社債が連続的にデフォルトしている状況なのに、このような裏腹な実情はなぜ発生するのか。

トランプ前大統領は2020年11月に、中国軍直営もしくは関係の深い中国企業（チャイナ・ユニコム、同テレコム、同モバイル等）をペンタゴンのブラックリストを基準にして、投資を禁止する大統領命令を出した。

またTIKTOKの米国法人を売却せよ、とした。TIKTOKは米国のロビイストを駆使して売却先として名乗りを上げたオラクルなどと交渉を延期しつつ、時間を稼いだ。おかげでバイデン政権は、この売却話をもとに戻した。

さらに驚くべし。バイデン大統領は、姑息にも米国ファンドの中国軍系企業への投資禁止を

２０２１年5月27日まで先送りする大統領命令に署名したのだ。ウォール街がトランプを見限り、民主党に秋波を送り続け、献金を続けてきた結果とも言えるだろう。

２０２１年2月5日、鳴り物入りだった「快手（クアイショウ）」が香港証券市場に上場し、54億ドル（予測は63億ドル）をかき集めたが、投資した機関投資家のなかに、ブラックロック、フィデリティなど米国の巨大投資信託運用ファンドがあった。

ＴＩＫＴＯＫは中国バイトダンス系であり、ソフトバンクも株主である。このＴＩＫＴＯＫに対抗した新興の動画配信アプリの「快手」が、54億ドルを香港上場でかき集めたのだ。株主はテンセントだ。

こういうチャンスを活用する米国の機関投資家は、資本主義の強欲な論理に沿って投資するのだ。

このことが象徴するように米国機関投資家の中国株投資は、禁止ムードの政治的動きとは乖離して膨張しているのである。２０２０年末で、米国の中国株投資はじつに1兆１０００億ドルに達しているという（英紙「フィナンシャルタイムズ」２０２１年2月4日）。公式統計では２５００億ドル程度だが、実際はタックスヘイブンのケイマン諸島を経由して行われるからだ。

金融ばかりではない。

ハイテク技術が中国へ流出する事態は西側に共通するが、米国は防諜のインテリジェンスが強靱なネットワークを誇り、中国人スパイ多数を逮捕・起訴し、各地のスパイセンターだった「孔子学院」を閉鎖し、さらにヒューストンの中国領事館を閉鎖した。それでもシリコンバレーや大学教授、研究員らが中国の「千人計画」に騙され、おびただしい頭脳が中国へ流れた。日本にはスパイ防止法がないので、人間の良心、それまで所属した企業への忠誠心に頼るしかない。電池、化学、半導体などで多くの日本人エンジニアが厚遇条件に惹かれて中国へ渡った。高給で、しかも研究費は使い放題となると、自らの売国的行為に反省の色がまるでないのも日本人に共通する。国家安全保障という概念が思考範囲から消えているからだ。

半導体輸出禁止を前に台湾のTSMC、ペガトロン（スマホ生産第二位）、メディアテック（半導体大手）などは大量の半導体を中国のファーウェイ、小米、オッポなどに供給した。そのうえで規制が強まると、中国工場の部門売却を始めたのだ。

ペガトロンは子会社を中国企業に売却、ウィストロン（スマホ第三位）は、出資してきた工場を中国のラックスシェアに売却、キャッチャーという大手部品会社も右へならえ。

台湾はTSMCから3000人のエンジニアを中国SMICへ移籍させたが、次世代半導体開発のエンジニアが多く含まれていた。台湾のビジネスマンはじつに80万人が中国にいる。日々、開発に余念がなく、かれらにとっても中国軍が台湾侵略を辞せずと公言しているにもかかわらず、国家安全保障感覚は乏しく、目先のカネが目的である。だから約束されたカネがもらえないとわかると、今度は中国を見限り、脱走を始めるのだ。

韓国も例外ではなかった。

日本勢が束になってもかなわない巨人と化けたサムスンは売り上げの38％がスマホ、28％が半導体、18％が家電、そして12％がディスプレーである。時価総額は世界第12位。これはパナソニック、ＳＯＮＹ、三菱電機、日立、東芝などを合計したよりも多いのだ。

韓国国家情報院が摘発したハイテク流出は１２３件、大半が中国へ流れていた事実が判明している（２０１4年から２０１9年まで5年間だけの統計で中国へ渡った技術は83件に及ぶ）。韓国にはスパイ防止法があり、最近も「有機ＥＬパネル」（液晶にかわる次世代）の技術を中国に売り渡そうとしていたサムスンの研究員らが逮捕された。

中国のＳＭＩＣには62人の韓国人が在籍しており、大手「京東方科技集団」には１２０人ほどの韓国人が在籍していることも判明している。

シリコンバレーからもエクソダスが始まっていた

ＧＡＦＡの本丸はカリフォルニア州のシリコンバレーである。

このシリコンバレーから大量のエクソダスが始まった。オラクルは本社を移転し、テスラCEOのイーロン・マスクもカリフォルニア州の自宅を他へ移した。

脱出が続く最大の理由は、シリコンバレーの家賃が高すぎることだ。在宅勤務ならわざわざ高い家賃のマンションに住まなくてもいい。いや思い切ってテキサス州はどうだとオースチン市あたりの人口は突如30万人も増えた。人口急膨張を続けてきたカリフォルニア州で人口減という新現象がうまれた。カリフォルニア州は政治的に極左、ハリウッドでは歌手のガガばかりか、シュワちゃんまでが反トランプ。ハリス副大統領もカリフォルニア州選出の上院議員だった。もうひとりの上院議員ファインスタインの秘書は長年にわたって中国のスパイだった。

カリフォルニア州は山火事も多く、アジア系移民がメキシコ移民より多くなって、愛国心は稀薄である。進歩的思考は福祉増大をうむが、同時に州税が跳ね上がり、税金への不満も高まっていた。

マッキンゼーの調査では、米国における都市からの流出と流入者比率はニューヨーク市で27%、サンフランシスコ市が24%、ボストン市が13%、ロサンゼルス市とシアトル市がそれぞれ11%となって、都市からの流出者のほうが多かった。比率数は2019年と2020年の比較である。

米民主党の戦術としては3つに分裂している党内をまとめ、バイデンのイメージを高めることだ。

党内の極左グループはバイデンを途中で降ろし、ハリス副大統領を昇格させようとしているから党の団結という希望は遠のいた。

さらに民主党の狙いは、トランプは再帰できないように永久に「悪」の印象を与えることだ。それが弾劾裁判の演出だった。かれらはトランプを追い詰めて独立政党を結成させ共和党に鮮明な亀裂を与えることに、むしろ期待していた。

弾劾問題は、共和党に分裂状態をもたらした。上院で共和党議員の7名が裏切った（174ページ参照）。今後の共和党は深刻な党内主導権争いが激化することになる。

次の関心事は2024年大統領選、共和党の候補者選びで、はやくも駆け引きが始まっている。

第一にトランプを熱狂的に支持する人々がいて、最大の勢力を維持している。この熱風のようなトランプ人気が維持でき、そのうえで2022年の中間選挙で共和党が上下両院で多数派を形成できれば、トランプ再選の芽は断然、濃くなるだろう。

第二はペンス（前副大統領）問題がある。ペンスはインディアナ州の自宅で2024年キャンペーンの策を練るが、2月早々にヘリテージ財団客員顧問に就任した。保守本流最大最強の

トランプ弾劾を上院で賛成した共和党議員７名

スーザン・コリンズ（メイン州）　共和党内左派、ロックフェラー・リパブリカン。LGBT賛成、現在５期目のベテランだが、党内の異端。オバマ時代にも２回、裏切り投票。ローマ・カソリック信徒。
リサ・マコウスキー（アラスカ州）　反日家として知られたアラスカ州元知事の娘で、引退時に指名され幸運な出発だったが、選挙はいつも辛勝。ローマ・カソリック信徒だが、共和党でつねにスイング投票をする。サラ・ペイリン前知事（マケイン候補のときの副大統領候補）の政敵。トランプ支持派のペイリンが次期改選に挑む雲行き。
ミット・ロムニー（ユタ州）　オバマ再選時の共和党大統領候補だったので新参のトランプを見下す性癖が強いモルモン教徒。すべての動機は「トランプ憎し」にある。
ベン・サッセ（ネブラスカ州）　２期目も圧勝。リベラル思想の大学教授、学長など経験。トランプには最初から反感をもち続け、共和党の調和には非協力的。

以上４人は弾劾賛成にまわることが予想されていたが、土壇場で下記３名が裏切った。
リチャード・バー（ノースカロライナ州）　下院議員から上院３期目。トランプ陣営から突如転向してコミーFBI長官のクビに反対。最初の弾劾裁判ではトランプ側だった。上院情報委員会委員長の要職にあった。
ビル・キャシディ（ルイジアナ州）　医者あがりで、現在２期目。民主党のデュカキス選挙を手伝った経験があり、政治的鉄則は発見しにくい。
パトリック・トゥメー（ペンシルバニア州）　２期目。気象変動に疑問。京都議定書に反対。LGBTに反対。実業家でデリバティブ取引の専門。市場開放の推進者。ペンシルベニア選挙区の事情がからみ、22年の３選を目指して突如、転向したらしい。

シンクタンクだから、この意味は全米の保守を糾合できる組織をつかんだことになる。もちろんトランプが出てくれば、ペンスは副大統領としての再度役割を担う可能性もある。

第三はウォール街と穏健派は誰を推すか。おそらくマルコ・ルビオ上院議員（フロリダ州選出）だ。2016年にウォール街が熱心に推薦したケーシック（オハイオ州知事）は、もはや「過去の人」になった。

第四に強硬保守派はテッド・クルーズ上院議員（テキサス州選出）をまた担ぎそうだが、ペンスがヘリテージ財団でポストを得たとなるとクルーズの出番はないだろう。

第五はトランプのおうむ、ポンペオ前国務長官だ。ズバズバと発言するので共和党内でなかなかの人気がある。

第六がダークホース、ニッキー・ヘイリー前国連大使（ノースカロライナ元知事）である。彼女はトランプ陣営にいながら状況を見極め、土壇場でトランプ弾劾支持にまわった。トランプ支持派は猛烈な怒りをヘイリーにぶつけたが、共和党内の穏健派、ウォール街が支持に傾く機会を彼女自ら演出したのである。この線で党内反主流派をまとめ、2024年を狙うという、まさに「タイトロープ」に乗り出した。しかしながら現時点での予測は、時間の経過とともに変色、窯変《ようへん》してゆく。政治の世界は一寸先が闇。

ロシアの諜報、謀略戦争は復活していた

SNSを政治利用しているのは米国ばかりではなく、じつはロシアである。

国際情勢の裏情報のなかで最近忘れがちな、もうひとつの軍事大国はロシアである。ウクライナ、クリミア、シリア、そして直近ではアルメニアvsアゼルバイジャンの第二次ナゴルノ・カラバフ戦争で、ロシアは覆面の特殊部隊や戦争請負業者（戦争の犬たち）を投入し、舞台裏ではハッカー攻撃で成果をあげていた。

数年前にサンクトペテルブルクに滞在した折、水上に浮かぶ豪華船のレストラン「ニューアイランド」を目撃し、現地ガイドに「あそこで食事をしたい」と言ったら、「高いですよ。そのうえ予約で満員です」と素っ気なく断られた。

サンクトペテルブルクは欧米からの観光客にあふれ、瀟洒《しょうしゃ》なカフェ、レストランが軒を争い、新興地には西側資本の豪華ホテルも立ち並んでいた。そのホテルのフロントでドアマンから「チャイナから？」と言われたとき、胸を張って「ヤポンスキーだ」と答えると、「失礼しました」と頭を下げられたのも一種懐かしい想い出である。

冷戦が終わる前後1989年ごろから92年ごろに訪れたとき町は暗く、まともなレストラン

ロシアの子供たち（カリニングラードにて）

は稀だった（余談だが、このときサンクトペテルブルク空港で『おろしや国酔夢譚』でロケに来ていた緒形拳と会った。送迎バスでは橋本聖子と一緒だった）。

中州のホテルに宿泊し、バーへ行くと瞠《どう》目《もく》するような美女がワンサカ待機していた。いきなり「100ドル」と言われて、その即物的拝金のムードに驚いたこともあった。当時はドルの威力は強く、しかしバスもおんぼろなど観光のインフラも整っていなかったから、数年前の再訪時の驚きといえば凄まじい西欧化、近代都市の美観はなかなかのものだった。エカテリーナ宮殿の壮大壮麗さを超えるプーチン宮殿もその後、完成し、G20が開催された。

トランプのロシアゲートは民主党がでっ

ち上げた「事件」だ。実際にはロシアが「ボランティア」のハッカー部隊を組織して、ヒラリー陣営に不利となるフェイクニュースを流していた。ロシアの情報機関はヒラリーの落選を企図していたわけで、そのボランティア活動をトランプ陣営は知らなかった。ただしロシアの代理人が複数回、トランプ陣営の幹部に接触していた事実はある。

あれほど力こぶを入れたロシアゲート捜査だったが、何ひとつ証拠が挙がらず、トランプ弾劾は成立しなかった。

ロシアの2016年大統領選挙介入疑惑を捜査したモラー特別検察官はロシア人13人を起訴したが、その筆頭の人物は誰だったか。記憶する人はよほどのロシア通である。

米国はプーチン大統領に近い実業家＝エフゲニー・プリゴジン被告を首謀者に挙げて制裁した。プリコジンは「プーチンの料理人」と言われ、権力機構に割って入るや、巨大な利権を手にした。その発端が冒頭に紹介した「海上レストラン」だった。

エフゲニー・プリゴジンは、この豪華レストラン「ニューアイランド」で評判を取り、噂を聞いたプーチンが通うようになる。果ては外国の賓客をここで食事にもてなし、ブッシュ大統領との宴席ではプリゴジン本人が給仕をしてプーチンの信頼を得た。もともとこのプリゴジンの出自は不良少年、チンピラあがりで強盗、詐欺、売春などで9年間を刑務所で暮らした人物だった。それゆえ「度胸が据わっていた」とも言える。

その彼が、ロシア政治の暗黒部分を仕切る「戦争請負業」（ロシア版ブラックウォーター）の最高幹部となってロシア政治の暗部を仕切るのである。ロシアが展開するハイブリッド戦争とは、中国の展開する「超限戦」と同質のものである。

プーチンがハイブリッド戦争を世界戦略の基軸においた動機は、ロシアの軍事的劣勢を認識したからである。核大国とはいえ、アメリカの核戦力と比較すれば、かつての優位は崩れた。宇宙航空においては中国の追い上げが凄まじく、そして通常戦力では明確に劣位にある。

したがって「火種がなければ火を起こせない」状況に陥ったロシアは諸外国の政治に経済支援や軍事援助などの露骨な介入ができず、影響力の行使もままならず、しかし選挙や政府への抗議行動が起きた国ではハイブリッド戦争を仕掛けてロシアの対外能力を発揮する。

戦争請負会社は20社近くあり、アフリカ各地へ数百名単位で派遣されているが、あの絶体絶命に追い込まれたベネズエラのマドロゥ体制が、その後も独裁を維持できているのはロシアの支援である。ウクライナで米国が仕掛けた民主化の東進を防ぎ、シリア内戦ではアサド体制維持で勝利した。ジョージアの対露戦争で勝った。東京五輪へのサイバー攻撃も効果をあげている。ウクライナとジョージアでロシアが勝利したという意味は、両国が傾斜していたNATO加盟を阻止できたからである。

ドイツやチェコにもサイバー攻撃を仕掛けて、かなりの成果をあげている。なにしろ

琥珀で飾られるプーチンの肖像（カリニングラードの琥珀博物館）

ＮＡＴＯの結束に亀裂を入れ、マクロン仏大統領は欧州軍の設立を言い出すまでに欧米関係が信頼を損ねる状況をつくりだしたのだから。

廣瀬陽子『ハイブリッド戦争　ロシアの新しい国家戦略』（講談社現代新書）はこう定義する。

「政治的目的を達成するために軍事的脅迫とそれ以外のさまざまな手段、つまり、正規戦、非正規戦が組み合わされた戦争の手法である。いわゆる軍事的な戦闘に加え、政治、経済、外交、プロパガンダを含む情報、心理戦などのツールの他、テロや犯罪行為なども公式、非公式に組み合わされて展開される。

ハイブリッド戦争は、二〇一三年一一月

の抗議行動に端を発するウクライナ危機でロシアが行使したものとして注目されるようになった」

その年の2月に参謀総長だったゲラシモフが「新しい戦争の形態や方法を再考すべきだとしたうえで、21世紀の戦争のルールは大幅に変更され、政治的、戦略的目標の達成のためには、非軍事的手段は、特定の場合には軍事力行使と比較してはるかに有効であることが証明されていると主張し」ていた。

この「ゲラシモフ・ドクトリン」に注目した軍事評論家は少なかった。

さらに特筆するべきはロシアが中国と内政不干渉を謳い、お互いにサイバー攻撃を仕掛けないと約束したことだ。２０１５年の習近平訪ロの折に締結された。両国ともに西側へのサイバー攻撃と謀略に忙しく、「仲間同士」でエネルギーをすり減らすようなことはやめようというわけである。ロシアは５Gでファーウェイを躊躇《ちゅうちょ》なく採用したのも、ノキアやエリクソンの設備では、米国に情報が漏れるからだ。

もっとも重要なのは日本である。世界で一番サイバー攻撃に脆弱な国、なにしろ国民に国防意識が稀薄なうえ、国防予算は微々たる額。自主防衛が不可能な、主権を半ば放棄したかたちの日本が、サイバー攻撃を防衛するにはどうすればよいのか。

「日本の中枢がハッキングされ、日本中の電気が落ち、真っ暗になり、大混乱に陥る可能性」

があるのに対策は周回遅れである。

「サイバー対策では専守防衛を国是とする立場を貫いていては、日本に勝ち目はない」（廣瀬前掲書）

その後のトランプ

トランプ前大統領の近況も触れておこう。

2021年2月17日、全米から100台以上のカメラが集まって特設スタンドで待機した。アトランティック・シティの市民らは広場に集まっていた。

トランプ・カジノ&ホテル（アトランティック・シティ）が解体されたのだ。2014年までトランプ（当時「不動産王」と言われていたっけ）が所有していたカジノであり、その不動産王が2016年にアメリカ大統領となったのだから、たとえ当該ホテルが破産後のなれの果てであったとしても絶好のマスコミ種だ。

解体方式は計算式にもとづいてダイナマイトを仕掛けた、アメリカ特有の爆破によるもので、巨大カジノビルは1分ほどで綺麗に「始末」され。残骸《ざんがい》が散らばってカジノの夢は終わった。

同日、「保守のイコン」と言われたラッシュ・リンボー（ラジオトークショーの司会者）ががん

解体前のトランプ・カジノ&リゾート（アトランティック・シティ）

で急逝した。享年70歳。トランプ前大統領が沈黙を破り、リンボーの死を悼んだ。リンボーは2016年からトランプ支援のコメントを発表し、2020年の選挙でも保守の主張を訴え続けて、トランプ選挙を支援した。トランプも数回出演し、ある番組では2時間のトークショーとなった。全米の保守層にとって人気が高い番組だった。2020年には「自由勲章」を授与された。

　トランプを支援したマードックのFOXテレビは選挙終盤で混乱し、保守系の司会者を急遽降板させるなど、保守系のメディアも混乱を極めた。ところがマードックは、史上最高値と言われる豪邸（160億円）を購入したことで別の話題をよんだ。

　トランプ前大統領は1月20日にフロリダ

に去ってから公共の場に現れず、一切のコメントを避けてきた。リンボー追悼番組に久しぶりに登場し、「ラッシュ・リンボー氏は『伝説の司会者』だった」と追悼のコメントを披露した。

さて筆者が、NYからグレイハウンドのバスに乗ってアトランティック・シティへ行ったのは5年前である。

街は想像していたより淋しい光景が広がり、目抜き通りの通行人といえばホームレスか、犬の散歩の老夫婦とか。バスターミナルの商店街は半分が閉店していた。若い人がほとんどいない街という印象を受けた。

通行人に「トランプのカジノホテルはどこですか?」と聞いても、「知らない」と言われたのは衝撃だった。じつは、この時点ですでにトランプのカジノホテルは閉鎖していた。会社更生法を申請していたのだ。

ようやく探し当てたトランプ・カジノ&リゾートはけばけばしいネオンの残滓《ざんし》、手入れされていない前庭、後方の高層ビルは幽霊屋敷。ラスベガスの繁栄と比べると、新興カジノ都市を狙っていたアトランティック・シティのカジノビジネスは砂漠の蜃気楼《しんきろう》に終わっていた。撮影を終えてランチを取ろうとレストランを探したが、結局、バスターミナルのマックしかなかった。食べ始めて珈琲を飲んだところにNY行きの帰りのバスがきた。

億万長者も中国へ移動

ＧＡＦＡの経営幹部はこぞって億万長者だが、ベゾスがいまは世界一である。この「世界の億万長者」番付に中国人が１０５８名（米国は６９６名）もいる。

中国の億万長者は浮き沈みが激しい。２０１９年トップだったアリババの馬雲がおおきく後退し、ニューフェースは鍾睒睒《しょうせんせん》（ミネラルウォーター「農夫山泉」のＣＥＯ）が躍り出た。

２０２０年度富豪番付は恒例の「胡潤」によってなされたが、中国の億万長者が１０５８名で、米国の６９６名を上回った。初めて中国が米国を抜いたのだ。同調査は世界60カ国、２４０２社を対象に行ったもので、同様な調査をするフォーブスが株式の時価総額を基準とする方法と似ている。世界的にみると新顔が６１０名、このうちの３１８名が中国人（米国人は95名。パンデミックの悪影響がある）。

この中国メディアの世界ランキングによれば、トップはテスラのイーロン・マスク、二位はベゾス、三位がベルナール・アルノー（フランス）、四位はビル・ゲーツ、五位がザッカーバーグ、そして六位に中国の「農夫山水」社長が入った。同社は浙江省杭州が本社。香港に上場して87億ドルをかき集めたという。

都市別で見ると北京在住が145名、NYが112名。香港が82名（ただし香港富豪の李嘉誠、李兆基らの順位は不動だった）。

中国の上位常連はアリババの馬雲、テンセントの馬化騰《ばかとう》らだが、消えたのは不動産関連で、社債デフォルト、インソルバンシー（債務超過）など不況が背景にある。

それにしても拝金主義チャイナ。猛烈な金の亡者がここまで激増したとは！

第五章

中国経済は砂上の楼閣

「えっ、正気か」と思わず問いかけた

2021年3月5日から1週間、中国の所謂「国会」にあたる全人代が開催された。同時に全国政治協商会議も開催されるため「両会」と呼ばれる。

北京は凍てつくような寒さのなか、厳戒態勢に入っていた。この雰囲気を「多維新聞網」(3月4日)は次の漢字を並べて表現した。

「堅定且充満野心 后疫情時代的中国両会」

両会前の2月25日に習近平国家主席は豪語した。

「中国から貧困はなくなった」。習近平は全人代を意識して、「こんな短期間で7・7億人を貧困のどん底から救った党(国)はない」

全人代では第十四次五カ年計画の策定と2035年の中国の目標が唱えられた。英国のシンクタンクCEBR(経済経営研究センター)は、「2028年に中国の経済は米国を超える」と予測した。

世界のメディアが注目したのは中国のGDP目標値だった。2020年の全人代は5月に延期され、GDP目標値も曖昧な着地点のない数字がだされた。2021年はコロナ禍で世界経

済が衰退傾向のなか、せいぜい5％程度ではないかとロイターが予測していた。結局、李克強首相が発言したのは「GDP目標を6％以上とする」という抽象的表現だった。

経済成長なんぞより、中国が直面する深刻な課題は「人口減」と、それに反比例しての「負債増だ」とアリババが最大株主の『サウスチャイナ・モーニングポスト』（2021年3月4日）が書いた。人口は2016年の一人っ子政策廃止以後も、むしろ減り続けた。2027年には確実にインドに抜かれる。

負債増に関しては多くの中国人が気づき始めている。

建築会社のビルの前には、未払い賃金などの支払いをもとめる現場労働者や下請け企業の幹部らが連日押しかけている。この風景を見ただけでも中国の国民は、政府が何かを隠しているとの疑惑を深める。

習近平主席が、「中国から貧困はなくなった。極貧層はいなくなった」としたことは「裸の王様」の寓話《ぐうわ》を思いださせる。側近に真相をつげるブレーンは不在のようだ。

「2028年に中国のGDPはアメリカを超える」など誰が本気にしているのか。中国の発表はほとんどがウソである。あらゆる経済統計はフェイク数字である。

実態はと言えば、外貨準備はからっぽ。一流といわれた国有企業が連続デフォルト、名門も倒産。GDP統計は3割水増しが常識。地方政府の赤字は天文学的。

筆者が以前から言ってきたように、中国の国有企業はあらかたがゾンビである。米ピーターソン研究所は2020年上半期だけでも230万社が倒産したと分析した。中国の銀行保険監督管理委員会ですら中小企業の利払い繰り延べを認めたが、その規模は2020年末でおよそ10兆円、中国の公表数字から判断しても、銀行の不良債権はおよそ60兆円に達すると推計される。

朝香豊著『それでも習近平が中国経済を崩壊させる』（ワック）によれば、中国全体の負債はとうとう1京円をこえて制御不能状態に陥ったという。これは朱鎔基《しゅようき》元首相の息子でアメリカ帰りの朱雲来《しゅうんらい》が非公開の会議で報告した数字である。

統計数字の出鱈目《でたらめ》ぶりは2021年2月に発表された新生児の数でも当該官庁の保健衛生部が発表したのが1003万、国家統計局が発表したのが1465万だったか。4割も違うのだ。もとより国家統計局は汚職の巣といわれ、数年前に局長が愛人と海外逃亡をくわだて4通の偽造パスポート、その偽名のファーストクラスの航空券が4枚。逃亡寸前に逮捕された。統計を司るポストの長がこれほどの大金を得た理由は、地方政府、市レベルの幹部らが「水増し発表」を要求し、賄賂を渡すからである。

失業率統計も「都市戸籍の保有者」に限られ、ほとんどが正社員を対象としている。農民工は失業しているが、ハナから統計には加えていない。そのうえ失業保険の申請手続きが煩瑣《はんさ》、「長期休暇扱い」で処理されている例もある。これほど大量のレイオフ、倒産があるのに、つねに中国の失業率が4%台というのはおかしいと朝香前掲書が指摘する。「農民工も失業者として捉えた場合には、失業率は20・5%に達するのではないか」。

地方政府の「融資平台」が2019年だけでも新規発行債券が70兆円。累積残高は630兆円を超えて、地方政府のその他の債務と合わせて1100兆円に達する。

新幹線の赤字に関しても「地方政府が負担する部分などをすべて合わせると、2018年末で18・29兆元（290兆円）になっている（中略）。恐らくは国家秘密になっている本当の数字はさらに大きい」（朝香前掲書）。

「ジニ係数」にしても北京大学が作成した「中国民生発展報告2015」では0・73となった。それにしても未曽有の数字、人類史始まって以来の〝快挙〟だ。

中国政府は、2035年までに鉄道営業キロ数を20万キロに延長する。これは地球を5周する距離。とくに新幹線を7万キロに拡大すると公言している。

中国新幹線が2020年末までに開業した営業キロは3・7万キロとされているが、さらに15年後に新幹線だけでも、およそ2倍、7万キロを目標とする（日本の新幹線営業キロの20倍になる）。中国では「新幹線」とは呼称せず、「高速鉄道」という。筆者は習近平時代が始まるまでに開業していた中国の新幹線すべてに乗った経験がある（拙著『暴走老人、中国全33省踏査』、啓文社書房）。

速度もサービスも区間によってまちまちで、一概に日本と比べるわけにはいかない。

2020年末時点で中国の新幹線の累積赤字は83兆円である。しかもこれは公式発表である。それを倍加するのだから2035年までの累積赤字は最低でも160兆円に達する。

高速道路も然り。中国は2035年までに高速道路を50%延長し、16万キロとすると豪語している。米国の高速道路は9万8000キロだから世界一になる。道路の総延長は中国が500万キロ（米国は670万キロ）。

さて問題は加速度的に毎日毎日、累積されてゆく赤字である。

公表数字ですら高速道路の赤字は96兆円、これに地方政府負担を加えると、おそらく2倍だろう。げんに利払いが発生しているが、高速道路代金の収入はといえば10兆円しかなく、雪だるま式に債務が膨張しているのである。それもこれも「高速道路が完成してどれだけのクルマが利用するか」というフィージビリティスタディ（実行可能性調査）を無視し、イケイケどんどんと熊の交通量のほうが多い辺境にまで道路を造成し続けたからである。

まだある。2035年までに新しく162の空港を開港すると豪語している。

空港はすべて民間企業となる。開港までは国が工事をするが、あとの運営とその赤字は民間に押しつけるわけだ。こうした暴走的な景気刺激は破天荒の予算が必要となり、歳入の裏づけがないのだから必然的に中国の債務は膨張していく。それも果てしなく天文学的数字が積み重なってゆく。

いずれ「ミンスキー・モーメント」がやってくる。すなわち景気循環において、投資家が投機によって生じた債務スパイラルによりキャッシュ・フロー問題を抱え、株の投げ売りが始まるだろう。その結果、資産価格が突然崩壊し、経済崩壊に至るという仮説がミンスキー・モーメントだ。長い繁栄と借金による投機を促す投資価値の増大の後にやって来る。

ウソも百回言えば真実に聞こえるとヒトラーは言った。中国では3回ですむのだ。なにしろウソが日常生活で常態、ゆえに誰も真実を知らない。

すべてが債務超過に陥った

中国人は博打好きだが、同時に預金が好きである。

GDP比較で26・5%が預金率だったが直近のそれは44・6%となった（数字は米国「ジェイムズタウン財団」発行の「チャイナ・ブリーフ」、2020年12月23日）。

国有銀行が国有企業に主に融資するという意味は、投資効果、利回りにより利益を慎重に計算し、査定した結果ではない。債務超過に陥れば追加融資を繰り返すという、およそ資本主義システムでは考えられない方法がとられているからだ。

利益があがるどころか、マイナスが明らかで、中国の中央政府、地方政府の負債はGDPの335%に達している。公表の数字だけでも、邦貨換算で5300兆円を超えている事実を示す。実態はたぶんGDPの800%だろうと多くのエコノミストが指摘した。

たとえば老舗の国有石炭会社永城煤電控股集団のデフォルトが喧しく伝えられたが、これは氷山の一角に過ぎず、遼寧省、陝西省、貴州省などは借り換えの目処が立っていない。米国格付け機関「ムーディーズ」は、中国地方政府の債券のランクを「ネガティブ」とした。つまり投資不適格の烙印《らくいん》を押したのである。

とくに市場が震えたのは永城煤電の債務不履行だった。同社従業員は「国内有数の優良石炭の会社として同業他社の4倍から5倍の給与を享受していたのだ。まさか、この優良企業がつまずくとは誰も想像していなかった。原因は同社の親会社HNEC（河南能源化工集団）の財務状況が極度に悪化し、永城煤電が身代わりに借金の支払いをしてきたからだった。HNECは債券起債だけでも過去5年に9500億円を調達していた。高利にも手を出していたが、じきに永城煤電にも社債発行を要請し、それで得た資金を借金の返済に充てていたのだ。もちろん永城煤電は、こんな財務上のからくりを投資家に開示せず、むしろ健全経営だと騙してきた。

以後、じつに260社以上の国有企業が社債の起債を取りやめるか延期した。中国の社債市場は真っ暗闇、信用不安に陥った。2021年に地方政府債務は20％以上増えるだろう。過去に借金してすすめてきたプロジェクトは無人の高層住宅、商店街、誰もいないニュータウン、砂漠にハイウェイと、夢遊病者のようにひたすら建設に励んできた結果である。

不動産は不景気を吹き飛ばそうとネットオークションで売れ残り物件を投げ売りしているが、北京、上海、広州などの大都市の有名団地を除き地方都市物件には応札さえない。

こうやって中国はあたかもGDPが成長しているかにみせかけ、不良在庫も経済成長の数字に加えてきた。このような異様な体質は、次に何をもたらすか？

必然的に中国は倒産を回避するために借り入れを増やし、向こう数年間は、この利払い目的の新規借り入れの継続、それによる債務返済という悪性のスパイラルに落ち込むことになる。同時に金利が高くなる。ということは高金利が経済活動を停滞させ、成長を抑圧することは火を見るよりも明らかである。異常という他はなく「人民日報」ですら「ゾンビ企業」と呼んでいる。

政治的安定を維持し、共産党の独裁を継続確保するには、借金を増やしても、成長がなされている演出を続ける。それもこれもソ連が経済的に行き詰まって破綻したことを教訓としてきたからだ。

ちなみに東京商工リサーチの調査で「百年以上続く老舗企業」は、日本が3万数千社、中国はわずかに4社、韓国はゼロである。

リカードの資本の循環の理論では企業の寿命は30年が限度だという。株主主体の資本主義では老舗企業は成立せず、持続しないのである。

中国金融当局はアリペイの上場停止、テンセントなどへも規制強化の方向を打ち出したことは前章までにも触れた。

アントは「庶民銀行」と呼ばれたが、当局から見れば「無許可銀行」という解釈になる。だから不逞《ふてい》の輩は取り締まれ、とばかりに習近平はアリババに「独禁法違反」を適用した。

アント上場延期の真意は、ジャック・マー（馬雲）の発言ではなかった。

中国共産党が「唯一正統な」権力、そして「合法政権」と名乗っている以上、この独裁政権の統治を脅かす金融ビジネスの存在は最大の脅威となる。

アリババ傘下「アント」のアリペイは10億人が便利に使っている。つまり10億人の預金口座が中国の国有銀行から民間へ流れたということである。これは一大事件である。しかもアリペイのもつ与信枠は、国有銀行のそれに迫っていた。

そこでアリババに「独禁法」を適用した。まさにブラックユーモアだ。中国共産党そのものが独禁法違反なのに民間企業が成功すると、何が何でも潰す必要がある。いわばイチャモンの類いである。

香港の民主運動のイコン、ジミー・ライ（黎智英）を「詐欺罪」で逮捕し、身柄拘束後に「国家安全維持法」を追加適用。あまりの法的な論理逸脱で保釈せざるをえなくなったが、保釈金が1億3000万円と法外な値段をふっかけて、財政的にジミー・ライをつぶしにかかる。同様に共産党批判を口にしてしまったジャック・マーへも容赦なかった。

アリババの金融ビジネスは、中国政府が世界に先駆けて実験中の「デジタル人民元」を根底的に脅かす存在という認識に変わり、なんとしても、これ以上の普及を食い止めようとする動きが表面化した。それが昨今の動きの背景である。

アリババ傘下の金融会社「アント」集団が、上場直前に延期を通告され、関係者は顔面蒼白《そうはく》、すでに株式を予約して予約金を支払っていた投資家は呆然《ぼうぜん》自失。アリババのアントの業務は一時停止となった。

他方、中国人民銀行（中央銀行）は2020年師走に市場へ新たに1450億ドルを供給した。国有企業大手の社債不履行が連続して、倒産が目立ってきたため、社債の償還が目的、つまり国有企業の破産防止策である。もっと厳密に言えば倒産が秒読みの企業をなんとか人工呼吸器で無理矢理延命させている構図である。中国のＦＦレート（日本の公定歩合に当たる）は2・95％、

1年物のLPRが3・85%、3年物が4・45%とかなりの高金利だ。

当局のいう「無許可銀行」の代表格がアリババ傘下「アント」の発行するアリペイ（支付宝）、テンセントのテンペイ（財付通）などだ。オンラインで有利な銀行口座を斡旋すると0・2%から0・3%の手数料を稼げる仕組み。中国の国有銀行の6カ月定期預金の金利は1・3%だが、アリペイなどを利用すると、3倍前後の金利となる。預金者がどちらを利用するかは火を見るよりも明らかである。

預金はどっとアントやテンセントに流れ込んだ。これこそが中国共産党が支配する中国国家の資金流通システムを破壊する脅威と認識するのも無理はないだろう。

アントは共産党独裁の金融体制に風穴を開けた。共産党の統治が及ばない時代が出現した。それゆえに独裁者から見れば、不愉快極まりなく潰されるおそれが高まったのだ。

アリババの金融子会社「アント」の香港と上海株式市場へのIPO（新規株式公開）は上場予定日の3日前になって、習近平が見送らせた。アントがすでに中国国有銀行を脅かす存在であるばかりか、政府が進めるデジタル人民元の普及に障害となるおそれがあり、経済の支配力を失いかねない不安からだった、と多くが分析した。

ウォールストリート・ジャーナル（2021年2月17日）は「アント上場延期の本当の理由は別にある。じつは株式購入予定者の多くが、中国共産党幹部であり（家族名義やその他）、しかもタックスヘイブン経由で『外国ファンド』を装っていた実態が判明した」と報じた。

そのうえ投資予定者の名簿も確保した模様で誰々がアント株を購入しようとしていたかが判明した。じつは江沢民派《こうたくみんは》、あるいは反習近平派がほとんどであったため、「習近平は激怒して延期を決定した」と米国経済紙が報じたのだ。

もともとアントの筆頭株主は江沢民の息子である。また香港の金融、不動産、とくに証券ビジネスの利権は江沢民派が握っていた。


香港での異変が末端ビジネスに及んできた。

そもそも香港の経済は不動産、金融、そして観光の三大産業で成り立ってきたのである。国際金融都市としての機能は、資金洗浄やドル調達の機会であり、むしろ中国共産党がさんざん濫用《らんよう》してきたのだ。

その香港の不動産、住宅投資は続くのか。商業地や一等地のビルは空室が目立ってきた。観光も日本同様にインバウンド、ホテル、レストランは最悪に近い。世界のブランド品通りと言われたチムサーチョイ東地区（ブランドショップがひしめきあって、中国からの旅行者がめちゃめちゃに買い物をしていた）で売り上げ48％減。多くが店を閉め、シャッター通りとなった。従業員は解雇され、在庫を半額セールで売りさばいても香港人は見向きもしないという悲惨な風景が展開されている。

カナダのバンクーバーはシドニーやNY、ロンドンと並んで大規模なチャイナタウンがある。香港からの移民が主力だ。

旧チャイナタウンはバンクーバー市内のど真ん中に位置しているが、治安が悪化してほとんどがシャッター通り。新移民は分散して暮らし、いまでは高級住宅地にも進出している。中華レストランのおびただしいこと!

ロサンゼルスのダウンタウン、日本人町「リトル東京」が栄えていたころ、ニューオータニホテルも紀伊國屋書店もあって、数十軒もの日本食レストラン、瀟洒《しょうしゃ》な料亭に加えて銀座並みのバーもあった。いまでは半分がコリアンタウン化し、残っているのはじつは旧世代(二世、三世)の老人ホームか、ケアセンターである。リベラル過激派の多い日系三世、四世のJACL(日系アメリカ人市民同盟)のオフィスも、このリトル東京地区にある。JACLは過激なリベラル集団で全米の左翼団体と連携しており、穏健派の日系人は距離を置いてきた。

カナダはバンクーバー市内にチャイナタウンで暮らし、ケアセンター入りした移民二世、三世らが後期高齢者となった。

問題は、このバンクーバーのケアセンターで起きた。ある老人ホームで「111名の入居者中、99名がコロナに感染、加えて72名のスタッフが感染し、44名が死んだ」（サウスチャイナ・モーニングポスト、2021年2月20日）。

中国本土でも、ワクチン接種に対して「チャンスが来ても打たない」とする懐疑論が拡がる。もっとも国際情報に敏感な上海に加えて浙江省の複数の工場を調査したところ、じつに25％が明確に「ワクチンを打たない」と回答した。つまり中国製ワクチンを中国人が信用していないのだ。

米もアリババ排除へ、ウォール街上場の中国企業217社が対象

トランプ前政権はＥＬ（エンティティリスト）、軍経営企業リストなどを発表して中国企業との取引を禁止し、米国投資家の中国株式の取得も禁止した。そのうえナスダック市場などウォール街に上場している中国企業の会計監査を強化する法律が下院で成立、トランプ大統領（当時）が署名をすませた。

中国以上に慌てたのは、中国に投資している米国ファンドだった。ＡＥＩ（アメリカ・エンタプライズ・インスティチュード）の調べによれば（同レポート、12月2日）、米国ファンドが中国の債券、株、社債へ投資した額は過去6年間で1兆ドルを超えたという。

このうちの5000億ドルが中国企業の社債に投資された。中国企業のドル建て社債は金利が8%～14%と魅力的だったからだ。ところがコロナ禍以降、デフォルトが続出し、それもAAAランクの優良企業が軒並み債務不履行をやらかした。

米国からの投資はケイマン諸島、英国領ヴァージン諸島などタックスヘイブンを経由、主としてオフショア市場で行われているため詳細の把握は難しい。おそらく大半はファンドであり、加えて在米華僑の余裕資金、さらには中国共産党幹部らが洗浄し、いったん海外へ送金していた資産の多くを「外国籍」、すなわち「米国ファンド」に国籍を変えてベンチャーキャピタルや、ユニコーン企業の株式投資に環流させるカネの流れもある。

別の調査では57兆円もの投機資金が中国の債券市場へ流れ込んでいたという。

この間、コロナ対策で日米欧が巨額の財政出動を決め、米国が200兆円。日本の予算は106兆円（真水が73兆円）。欧州も緊縮予算重視だったドイツまでが蛇口を開いた。こうした日米欧の巨額財政出動であり余った資金のうち、じつに57兆円もの投機資金が香港経由で中国の債券市場へ流れ込んでいたことになる。だから中国は大助かり、外貨不足をやりくりできた。

一方、中国の不良債権処理も進んでいる。2020年に中国は75兆円の不良債権を静かに処理していた。同時に中小零細企業の元利払いの猶予を認めているが、その規模はおよそ100兆円に及んだ。

これらを踏まえて郭樹清《かくじゅせい》（中国銀行保険監督管理委員会主席）が記者会見をして次のような発言をしている。

「日米欧のコロナ対策のための積極的な財政金融政策は、たしかに経済の安定に必要だが、バブルという副作用が徐々に浮かび上がってきた。資産価格が実体経済と乖離しており、不良債権処理を急ぐ」

２０２０年師走18日、トランプ大統領（当時）は議会で可決されていた外国企業会計監査強化法に署名した。

「3年以内に米国の会計基準を満たし、検証が可能な透明性の報告書ができない企業に関しては（中国を名指ししてはいないが）、株式市場から排除する」としている。

主な狙いは２７１社にもおよぶ中国企業のウォール街への上場である。これにより中国企業は２兆２０００億ドルをかき集めたのだ。不正経理が明るみに出たラッキンコーヒーなどはすでに上場廃止となっているが、ほかに怪しげな中国企業は山のようにあり、アリババ、百度なども監査対象である。

中国にアメリカの四大監査法人は進出しており、会計検査をしてきた。その面妖《めんよう》な情報を外部にもち出せないために米国内で監査を強化する。中国の法律は企業機密を外国へ持ち出すことを禁止しているからだ。

また中国関連でトランプ前大統領は香港特別法を廃棄した。

人道主義的見地から、香港からの事実上の亡命希望者へのヴィザ条件緩和に傾きつつあった。ところが下院議員のひとりに中国のスパイ容疑がかかり、ファインスタイン上院議員秘書が中国のスパイだったことも発覚し、連邦議会はこの問題に神経質だった。

「亡命を偽装する中国共産党のスパイが多数含まれるおそれが強く、どうやって審査するのかが明らかにされない限り、香港亡命希望者へのヴィザ発給緩和には反対である」と声をあげたのはテキサス州選出の連邦上院議員テッド・クルーズらである。

トランプ前政権はＥＬを作成し、当初35社を、それから徐々に増やし、現在は85社以上がブラックリストに掲載されている。ついで11月には「中国人民解放軍経営もしくは事実上の経営、あるいは密接に軍とつながる企業」を35社リストアップし、取引停止とした。

対応して中国は12月１日から輸出管理法を施行し、戦略的な物資の中国からの輸出に制限を加える措置をとったが、レアアースは含まれなかった。

ドイツのハイテク企業ＩＭＳＴはレーダー部品、宇宙航空の精密部品並びにソフト開発、ワイヤレスモジュールなどで世界的な有名企業である。開発研究センターにはドイツ有数の技術者、研究者が集まる。

中国にとって垂涎《すいぜん》の的、ＩＭＳＴに買収をかけたのは中国大手の航天科工集団だ。民間企業を偽装した中国軍直営企業であり、従業員13万、拠点５７０カ所。宇宙航空分野ではロケット、巡航ミサイル、戦術ミサイル、人工衛星などを製造している。また自動車エンジンでは傘下の航天汽車が三菱自動車と組んで自動車エンジンを製作している。

この企業がドイツの優秀な技術力に目をつけたのだ。５Ｇ開発競争において、裾野の精密部品生産に立ち後れている中国は暖簾《のれん》、特許、技術者をまるごと飲み込む企業買収を狙った。土壇場でドイツ政府は待ったをかけて阻止した。

中国資本のドイツ企業買収は頻度激しく、ドイツ政府が警戒しているのは軍事技術につながるハイテク企業である。２０１６年に中国の美的集団がロボット生産のクーカ社を買収し、同年にアリババはＬＡＺＡＤＡ社を買収したため、一気に警戒感が拡がった。フィンランド、スペイン、イタリアなどでも同様なかたちで中国企業に買収された例が多い。

日本は株式の構成、持ち合い制度の伝統があって買収はされにくいうえ、外国為替法の改正でより難しくなった。しかし中国は「千人計画」により、企業買収よりもハイテク企業の定年退職のＯＢ、あるいは高給でつる作戦を展開して、かなりの成功を収めており、正面玄関からの買収を避けているが、今後は日本人をダミーとして増えるだろう。

ドイツも重い腰を上げて、インド太平洋にフリゲート艦を派遣に前向きとなった。ＮＡＴＯ

のなかで、中国にもっとも近かったドイツが、2016年の国際仲裁裁判所の判決（南シナ海における中国の主張に一切の根拠がない）を重視し有効性を国連に要請している。

クランプカレンバウアー独国防相（女性）は12月12日、「ドイツは近くインド太平洋領海の安全と国際的な協力態勢への参加のため、フリゲート鑑を派遣する」と発表した。ドイツが反中路線に転じたのだ。すでにインド・日・米・豪の4カ国に加えて英国が空母クイーンエリザベス打撃群を、またフランスも海軍艦艇を派遣している。ただしクランプカレンバウアーはメルケルの政敵であり、メルケルの任期中は、土壇場でどうなるかはまだ未知数。

Sugonは中国のスーパーコンピュータ企業の大手。スパコンは軍事シミュレーションに活用されている。

米国は初めにSugonをELに加え、11月には「軍と直結の企業」と名指しして取引停止としていた。そして21年4月8日、米商務省は中国の7社のスパコン企業を加えた。ハイクビジョンはウイグル族弾圧ばかりか、中国全土の監視カメラの製造と配置の大手企業である。リストに挙がった中国鉄建は巨大国有企業で新幹線を請け負うマンモス、軍幹部の天下り先でもあり、軍部の利権である。この会社は10の部局があり、新幹線のみならず関連工事から関連事業を地域分担で行っている。

ロンドン証券取引所も中国企業を排除する動きを加速させた。

傘下で金融商品指数を算出しているＦＴＳＥラッセルは、ハイクビジョン、中国鉄建、Ｓｕｇｏｎ（曙光）など中国企業８社をＦＴＳＥグローバル株式指数シリーズなどから除外したのだ。

ロンドン証券取引所の中国企業排除は、ウォール街の指標である「ダウ工業株」や、あるいは「日経平均」のようにザ・シティの中枢のインデックスであり、象徴的な国際金融の動きとして注目すべきである。

一人っ子政策をやめたのに？

２０１５年に中国が「一人っ子政策」をやめてから６年になる。ところが施行後、むしろ新生児誕生生数は減った。

２０２０年の新生児は中国公安部の調べで１００３万５０００名だった。すでに中国も少子高齢化、とりわけ労働人口の激減が顕著となった。建設現場などには北朝鮮の労働者に加えて、ベトナム、ラオス、カンボジア、また家庭のお手伝いさんやベビーシッターはフィリピンからの出稼ぎが目立つ。この点でも中国は様変わりなのである。

２０２１年２月18日、中国政府「国家衛生健康委員会」は遼寧、吉林、黒竜江の東北３省で夫婦1組当たり原則2人までとしてきた産児制限の撤廃を検討するとした。

東北3省は中国の貧困地帯で、重要な産業は空洞化した。旧満洲時代に日本が残したインフラで、かつては中国でもっとも先進的産業地帯だった。近年、石炭、鉄鋼が廃れ、急激に活況を失った（ただし国家衛生健康委員会と国家統計局の数字は異なっており、後者のデータでは2019年の出生は1465万人になっている）。

米ジェイムズタウン財団の『チャイナ・ブリーフ』（2021年2月11日号）によれば、東北3省もさりながら江蘇省、浙江省でも人口減少が見られ、浙江省の温州で出生率は19％減、江蘇省の泰州では33％減となった。

東北3省、とくに遼寧省は親日的な地域である。その遼寧省の阜新《ふしん》にまだ残っている日本の神社がある。15年ほど前に瀋陽から汽車で入ったが、日本時代の水道塔から炭鉱宿舎など、ほとんどそのままだった。歩き疲れてふらっと入ったスナックでビールを飲んでいたら、付近の女子学生が集まってきて「英語の練習をしたい」とか。そこに男子学生が合流し、とうとう夜汽車の時刻までかれらと居酒屋のようなところで呑んだことを思い出した。皆、一人っ子なので、男女を問わず兄弟のような関係だった。

閑話休題。日本企業は遼寧省に集中して投資してきた。だが人材確保もむずかしく過去10年ほどは上海、天津、広州へと方向を切り替え、大連の日本人村（森ビルの裏手は日本レストラン、バーが集中していた）は閑古鳥、瀋陽からは伊勢丹などが一斉に撤退してきた。中国では急速な都市化などを背景に少子化が全国的に深刻になっていた。産児制限を撤廃したところで少子化に歯止めはかかるまい。

原因は教育費の高騰、子育て環境の劣悪さなどが云々されているが、本当のところ、中国の若い世代は将来に夢を抱いていないからである。中国語でいうと「未富先老」。

「幸福を語らない倫理学は虚無主義に過ぎない」と哲学者の三木清は言ったが、日本ばかりか中国人も人生の幸せを語ることが激減している。目先のコスト、経済的効果、庶民の関心さえも即物的となって、マンション投資、株でいくら儲かるか等と視野が急速に狭まった。

富裕層は子女を海外へ留学させるが、一般庶民は国内の高校を出すことさえままならず、一人っ子だからこそ両親、祖父母、兄弟総動員して出資し、死にものぐるいで大学へやったのだ。ところが2020年7月の大学新卒者840万人の半分に就労先がなかった。夢は消えた。右肩あがりの上昇気流に乗っているときは気分も高揚し、なんとかいけそうという楽天主義が生まれる。経済停滞、不況、就職戦線氷河時代となれば、日本と同様な事象が出来するのだ。そのうえ中国における言論表現の空間では窒息寸前、発言するにも監視システムをつねに意識するから言動に細心の注意をはらう。友人とも心底の友情をはぐくめない。日本では若者たちの自殺が急増したが、中国人は恥を知らないから自殺しないと言われてきた。これも様変わり、若者の自殺が増えているのである。

したがって産児制限撤廃の提案は、むしろ反対論を活発化させ、遼寧省などのオンラインでは「経済をますます悪化させる」と露骨な反対意見が行き交っている。

経済なき道徳は耐えられるが、道徳なき経済は犯罪であると二宮金次郎が言った。特許、企業機密、ノウハウを盗み、優秀な学者、エンジニアを高給や女を餌で釣って、摸倣技術を改良することに中国は驀進してきた。

まことに「道徳なき経済は犯罪」を地でいった中国、産児制限撤廃議論も経済と直接結びつくとは。

20年前、中国の大学生は114万人だった。金の卵、就職先はいくらでもあった。江沢民時代から胡錦濤《こきんとう》となって中国の経済成長は続き、この右肩あがりは、いつまでも続くと皆が夢想していた。

だから両親から祖父母までが、一人っ子を大学へ通学させた。駅弁大学(1949年5月に設置された新制国立大学を揶揄《やゆ》した呼称)があちこちに開設された。2020年、中国のGDP成長は2・3%だった(目標値は6・5%だったが)、求職状況もまだ良かった。大卒は874万人もいた。希望通りに就活できたのはおよそ半分、あとはアルバイト、不満だらけの職場、あるいは就職浪人をきめこんだり、五毛幇（ネットに中国共産党よりの書き込みをする「ネット評議員」。書き込み1件当たり約5角（0・5元）の収入からこう呼ばれる）にはしる。大学を出ても月給3000元というのは、女工さん以下である。それでも死にものぐるいで職を探した。女子学生も同様だが、美人となるとパパ活という「立派」な分野もあって、ぜいたくな暮らしが残り火のように残存していた。この波に欧米から海亀派と呼ばれる留学帰りが加わった。米国留学だけでも37万人、大半が修士をもっているからハイテク企業や金融企業に潜り込めた。

中国の就活と日本が異なるのは、最初から会社に入って一緒に雑巾がけから始めるのではない。横並び主義ではなく、いきなり部長につくようなポジションの獲得であり、もちろん技能、才能、ライセンスなどが重要だが、もっとも大事なのはコネクションである。なにもなければ大学をでても、出稼ぎ労働者と同様な3k職場しかない。

そして2021年、中国の新卒予定は909万人である。折しも就職氷河期！ならば海外へでて金儲けという夢も狭まった。

中国の一帯一路プロジェクトはどこまで死んだか？

レアアースを中国は貿易戦争の武器にする。その一方で石炭、鉄鉱石の輸入元の代替、多元化につまずいたことが明るみにでた。

ブラジルの山奥に100億トンの鉄鉱石埋蔵が確認された鉱区が3つある。パラー州（北部）、ピアウイ州（北東部）、そしてトカンティンス州（南部）には相当の鉄鉱石の埋蔵があるが、積み出し港への道路が悪い。ブラジル政府官僚主義の手抜きもさりながら、交通運搬のアクセスが悪く、投資効率を計算すると元が取れないので放置されたまま。

コロンビアと南アフリカの不便な場所に、良質の石炭を産する鉱区がある。これまた開発するには膨大な費用と歳月を必要とする。中国でさえ開発プロジェクトに二の足を踏む。

中国は歳月をかけての開発とコストを考えてどうでるか、世界が注目している。すなわち豪との貿易戦争の悪化で、豪産の鉄鉱石と石炭の輸入を激減させ、中華思想を高らかに吹いてしまった。「豪に報復措置を講じた」と言挙げした手前、豪政府に謝罪するような行為を取ることはないだろう。当面、石炭を中国はインドネシア炭の輸入を増量したうえ、昨師走には6年ぶりに南アフリカから輸入した。

同じことは日本とアメリカにも言える。世界最大のレアアース埋蔵は米国である。だが、産出から精錬のプロセスで、環境汚染と労働条件の劣悪さが批判の的となり、米国企業は開発を躊躇している。これまでは「穢《きたな》い仕事はほかの国にやらせればよい」とする資本主義の論理で、中国からの輸入に依存してきた。ましてやバイデンはパリ協定に復帰したため、レアアース鉱山の開発は絶望的である。

日本は沖ノ鳥島の海底に膨大なレアアース鉱区が眠っていることを知っている。海底資源調査で判明しているが、コストを考えると試掘さえしないだろう。そして中国は対米経済戦争の手段にレアアース禁輸をいずれ実行にうつす。レアアースは半導体、AI、EVの基礎材料。これからの世界貿易戦争を左右することになるのだが、日本の対策は周回遅れではないのか。

ところで、2021年3月に起きたスエズ運河のタンカー座礁事故はいかなる教訓を残したのか。

世界の海洋運搬のチョークポイントはスエズ運河ばかりではない。ジブラルタル海峡、ボスポラス海峡、ホルムズ海峡、マラッカ海峡、そしてパナマ運河。大航海時代には喜望峰、マゼラン海峡も重視されていた。英国の「七つの海の覇者」とは、これらのチョークポイントを抑えることで成立していた。

戦争や事故で1カ所が封鎖されると経済の大動脈がパニックに襲われる。つねに代替ルートの確保がセキュリティの第一歩。中国の進めるBRI（一帯一路）は、この代替ルート戦略につながっている。

第一に中国が目を付けたのは北極海だった。砕氷船「雪狼」を2隻、最新型を新造して試験航海を繰り返し、ロシアの神経を逆なでしながらも「2030年には商業化できる」としている。中国が北極海ルートの開発に正式に踏み切ったことが表面化したのは2018年のことだ。それで判明したことは、北海道の土地買い占めがこのルートに沿っていることだった。アイスランドで宏大な土地を開発しようとしていたこと、フィンランドをけしかけて北極海に面した不凍港からヘルシンキまで鉄道を敷く計画なども、この大戦略がらみで発想されたことだった。

現時点でも中国はフィンランドの企業家を巻き込んで、バルト海のエストニアへトンネル工事を計画している。バルト三国では反中国感情が強まっており、実現する見通しは薄いが。

第二にパナマ運河が輸送量の限界に達しており、代替の運河をニカラグアに持ちかけ、実際に工事を始めていた。途中で資金が続かず現在は挫折した格好となっている。

第三がマラッカ海峡の代替ルート、すなわちタイをけしかけているクラ運河建設である。前国王は関心を示さなかったが、現国王は前向きである。

かくして中国がカネと労働力にあかせて驀進させてきたＢＲＩ（一帯一路）は陸のシルクロード、海のシルクロード、そして資源輸送のバイパス建設（パキスタンのグアダールからカシュガルへの「ＣＰＥＣ＝中国・パキスタン経済回廊」建設）がその目玉だ。

ミャンマーのチャウピューから昆明へのパイプライン、中央アジアのトルクメニスタンから上海までのパイプラインの大工事（後者2つは完成）。中国はいまや世界最大の資源輸入国であり、世界中の鉱山開発にも積極的にからんでいることは周知の事実だろう。

海のシルクロードは「上海からピレウスまで」が合い言葉だ。現にギリシアのピレウス港の運営権を中国は30億ドルで買った。ピレウスからはEU加盟国ならどこへでも、シェンゲン協定によって自由に移動できたから、欧州各地に中国人があふれ出したのだ。

インド洋スリランカのハンバントタ港は中国海軍の御用基地に化けたし、紅海の入り口に位置するジブチには1万の中国人民解放軍が駐屯している。いずれもが中国の資源輸入ルートでもあり、とりわけ北極海重視に中国が傾斜している理由は無尽蔵の石油、ガス、鉱物資源が未開発のまま埋蔵されているからでもある。専門家の見積もりでは、900億バーレルの石油、1670兆立法フィートのガス、そして計測不能のレアメタル、レアアース等々がある。

そうはいうものの中国の目玉プロジェクトの崩壊が本格化し始めた。

中国の鳴り物入りのプロジェクトはシルクロード（一帯一路）。アフリカ23カ国へ貸し付けた21億ドルが案の定、償還できずに「焦げつき」となった。

3年前に習近平がアフリカを訪問し、600億ドルを投資すると豪語した。実際に投下されたのは88億ドルだった。各地で建設プロジェクトが進んだ。その象徴がエチオピア・ジブチ間の鉄道だった。

コロナ禍によりアフリカ諸国も大不況のどん底にあるが、デフォルトを真っ先に宣言したのはザンビアだった。目の前の利払い、ザンビアだけで４２５０万ドルが焦げついた。中国は稀少金属鉱区を担保でおさえてはいるが開発には至らないだろう。

鳴り物入りのエチオピア・ジブチ間の鉄道は運賃収入が４０００万ドル、ところが維持運営コストが７０００万ドル。小学生が考えてもこんな無謀な赤字鉄道をいつまで維持できるか疑問とするだろう。

無謀なプロジェクトの典型がケニアから南スーダン、ウガンダ、ルワンダを鉄道でつなぎ、コンゴの山奥へ（コバルト鉱区がある）裏道からつなげる鉄道プロジェクトだ。２０１８年に完成する予定だったが現在、工事はケニア国内で止まっている。

モンバサからナイバシャまでの工事区間ですでに47億ドルが投下された。その先の湖沼地帯への工事を「続ける」と中国政府は豪語するが、肝腎の中国輸出入銀行は追加融資を躊躇《ためら》っている。工事続行はかなり絶望的である。

ケニアは海岸に貿易港（モンバサ）をもち、ウガンダ、ルワンダ、南スーダンのような内陸国家ではないから経済的には順調な成長を遂げてきた。そのケニアでも四半期ごとの中国への利払いが３０００万ドルである。

アフリカ東海岸地域の「経済の優等生」であるケニアとて特産品はコーヒー。ＧＤＰは９６５億ドル。経済の離陸にはまだまだ遠い。

パキスタンのバロチスタン地方は、最貧地帯。州都クエッタは中国人の進出が多く、拉致《らち》誘拐事件、殺人事件が起きたためチャイナタウンは警戒を強めていた。2020年にはイスラマバードやカラチと並んでバロチスタン地区も武漢コロナに汚染され都市封鎖となった。

グアダール港は中国の凄まじい投資によって軍港に化けた。中国人の宿舎や工事現場がバロチスタン独立運動の武装集団の攻撃目標とされ、実態はコロナ対策というより、治安維持を目的の都市封鎖である。付近の住民は中国人に憎悪を募らせてきた。

相手にプロジェクトをもちかける際に、中国は当該国家の指導者に特別の便宜と、巨額の賄賂を渡し巧妙に借金の罠に陥れ、担保権を行使してきた。

風向きが変わったのは、借金の罠と知った新興諸国が償還できないことがわかり、デフォルトを前に中国に救済を求めたところ、冷酷に袖にされたからだった。かの「中国の代理人」「経済植民地」のカンボジアですらワクチン提供を断り「われわれは実験場ではない」とした。マスク外交が失敗するや「戦狼外交」に切り替え、同時並行して「ワクチン外交」も展開した中国だが、いずれも世界に不信感を運んだ。

マレーシアは「マラッカ・ゲートウェイ」構想を白紙に戻し、新幹線はばっさりと縮小して首都圏周辺のみの工事をちんたら続行。インドネシアの新幹線は完成予定を大幅に延ばしたが、完成の目処が立っていない。

そしてシンガポールはマレーシアをつなぐ新幹線プロジェクトを中止すると発表した。こうして世界中で中国の野望が暴かれ、排斥されている。習近平の看板が泥にまみれているのだ。

国内プロジェクトも軒並み怪しい雲行き

ニカラグア運河を獅子吼《ししく》して工事を始めた中国は最初の段階でプロジェクトを放棄したが、タイには依然としてクラ運河建設をもちかけている。

実際に中国は上海と寧波に海上橋梁《きょうりょう》を架けた。香港、マカオ、中山を結ぶ海底トンネルを開通させ、バスが行き来している。「だからできないことはないぜ」というわけで意気軒昂《けんこう》なのである。

中国のハワイといわれる海南島はかつての流刑地、いまや中国最大のリゾートとなって、北の海口から南の三亜までは新幹線が開通している。

ところが何千軒と並んだリゾートマンションは空室だらけ、「ゴーストタウン化した地域もある。現在、空路の他、鉄道ルートがあって、最長は哈爾浜《ハルビン》から海南島の北の玄関＝海口まで4458キロ。広東省で船に列車ごと積み込む方式である。この海南島への列車ルートに加えて北京西駅、上海、成都、西安からも列車が海南島に乗り入れている。中国最長の鉄道はラサと広州の4980キロだ。

海にかける橋梁建設プロジェクトは計画が承認されている。いつ起工するのか不明である一方で海底トンネルのプロジェクトはいったん葬られたが、また景気刺激の活性剤として再提案がなされた。

海底トンネルといえば関門、青函トンネルで日本のお家芸とされ、英国とフランスを結ぶドーバー海峡も日本の技術でつながった。この例から一時は日韓海底トンネルが試掘まで進められたものだった。台湾と中国を結ぶ海底トンネルは台湾側が熱心だった時期もある。

そうこうしている裡にパキスタンにおける中国主導の一帯一路プロジェクトが頓挫した。中国とのリスケ、救済、利払い凍結。返済条件の延期と緩和などで中国側は救援する姿勢がなく、交渉は暗礁に乗りあげた。

グアダール港の工事がテロや住民の抗議などで遅滞し、また西側は偵察衛星から撮影した写真を掲げ、「軍港」としての施設建設が進んでいるなどと疑惑を呈示してきた。問題は現地の漁民への補償、現地日雇い労務者の過酷な条件やピンハネ、不払い。当局者たちの汚職などで工事が停滞していることである。

鉄道、道路建設に110億ドルが注ぎ込まれた。ところが、鉄道は途中でレールが盗まれたりして完成はおぼつかない状態。道路も区間区間で部族や住民との衝突、機材やセメントの盗難などが続き、工事は大幅に遅れているが、この間、利息は上乗せされていくのである。

パキスタン政府は中国に依存した電力網の建設について、「つくりすぎ」のおそれが高いとして計画縮小も検討を始めた。なにしろパキスタンの電力網増強には発電所、ダム、変電所、送電線などに220億ドルが投じられた。

パキスタンは戦後13回、債務不履行に陥っておりIMFは救済に乗りだしてきた。しかしCPEC（中国パキスタン経済回廊）プロジェクトに関しては、IMFの救済マターではないとして、中国とパキスタンの二国間交渉に委ねられた経緯がある。

「青蔵《せいぞう》鉄道」は青海省からチベットへ開通したが、これに続く四川省成都からチベットのラサへつなぐ「川蔵《せんぞう》鉄道」も、中国共産党のチベット侵略は水の源流を収奪するという戦略的意味を含む。この地域の制圧と安定とを維持するために、兵力の輸送は重要な軍事目的である。

2001年に青海省西寧からチベットのラサまで、高山病と死にもの狂いで闘いながら青蔵鉄道を起工し、2006年に突貫工事を完成させた。世界から鉄道マニアが押しかけて、海抜4000メートルを酸素ボンベとともに旅するなどと観光気分が先に立った。筆者はその前年にラサに4日間滞在したが、最後の夜にうっかり呑み過ぎて軽い高山病にかかった。翌日成都へ降りると、ころっと治っていたが。

「青蔵鉄道」の裏には、中国人民解放軍の兵站《へいたん》として輸送力を高めるという戦略がある。しかしメディアは世界の秘境をゆく観光列車だと吹聴し、中国の軍事目的は隠された。2014年にはチベット第二の都市シガツェまで路線は延長された。

もう1本の軍事鉄道の「川蔵鉄道」は全長は1629キロ。シーズン中、チベットで店開きするレストランや土産屋などは成都から荷物を積んで「川商」といわれる四川省の商人たちが主体で、オフシーズンにはトラックで山を下りる。兵隊の交替も四川省からジープ、軍用トラックでなされた。これが青蔵鉄道によってなされるようになり、緊急展開時には航空機が使われる。

2014年に四川省とチベットの双方から工事は開始され成都から雅安まで（140キロ）は2018年に開通した。

チベット側はラサから林芝まで（435キロ）は2021年に開通予定。残る区間が雅安と林芝の間。一帯は峻嶮《しゅんけん》な山岳地帯、難工事が予測され、人民日報の大衆版「環球時報」（2020年11月8日）の予測でも完成は早くて10年後の2030年という。

この「川蔵鉄道」の軍事的目標はインドとの国境紛争で中国が優位を確保することにある。ネパールを政治的に籠絡《ろうらく》させ、インドとの分断を図る工作が積極化している一方で、ブータンへの接近も忘れない。

インドと国境線で激突を繰り返す地域はインドとパキスタン国境のカシミール地区、そしてネパールに隣接するアルナチャル・プラデシュ地域だ。

国境地帯に中国軍は半恒久的な軍事施設を建設しているが、輸送力が高まれば、大量の兵力、武器、食糧などの後方支援物資の輸送が可能になる。現在の交渉進捗などという戦術は時間稼ぎでしかない。

アフガニスタンへ異常接近の中国

第三章で述べたように、米軍はアフガニスタンからの撤退を本格化させ、9月11日に完全撤収を正式に発表している。ほくそ笑むのはIS、タリバン、両派にまたがるアルカイーダ。これらの組織にぶら下がるETIM（東トルキスタン独立運動）などだ。

西側の仲介でアフガニスタン政府とタリバンの停戦合意が成立してはいるが、局所的な戦争は続き、また米軍兵士、アフガニスタン治安部隊を狙うテロは影を潜めていない。

人口3000万人の山岳国家、面積は日本の1・7倍もあるが、山岳、曠野、そして砂漠。ここに主力のパシュトー、ハザラ、タジク、ウズベク族が共存する。タジク族はタジキスタンの主力部族でイランと同じダリ語をしゃべり、シーア派である。スンニ派のパシュトーとは水と油の関係である。

地図を凝視されたし、このアフガニスタンから細い回廊が、直接中国へつながっている。北がタジキスタン、南がパキスタンで両国の国境をこの「アフガン回廊」が遮断している。

アフガニスタン政府はカイザイ政権を引き継いだガニ大統領が率いるが、治安が悪く、経済は最貧状態のまま、国民1人当たりのGDPは700ドル以下。なにしろ輸出品と言えば絨毯《じゅうたん》、ブドウ、ピスタチオくらいであり、産油国でもない。鳴り物入りだったアイナク銅鉱山は治安最悪で中国企業は開発を言い募るが、ちんたら工事。それを守るのがアフガニスタン政府軍。しかもその警備費用を捻出してきたのが日本からの援助だった。じつに矛盾した話である。

さて西側メディアはウイグルにおける中国共産党のイスラム教徒の弾圧、強制収容所、不妊手術、米国はジェノサイドと明言した。

しかしなぜ中国がこれほどの過剰反応でイスラム原理主義の跳梁を防止しているのか、その背景説明がない。

アフガニスタンを経由してIS、アルカィーダで訓練を受けたイスラム原理主義の活動家を中国は「テロリスト」と識別しているが、かれらの新疆ウイグル自治区への潜入を防ぎ、潜入前に拘束するために中国はアフガニスタンへの治安支援を惜しまないのである。

アイナク銅山はアレキサンダー大王のころから知られる鉱物資源の宝庫である。この開発を中国国有企業が受注したほか、北部鉱区も中国企業が請け負った。またアフガニスタン支援のため中国はマスク外交を展開し、医療品なども供与した。習近平は一帯一路プロジェクトでアフガニスタンのインフラ建設に協力すると豪語し、光ファイバー網建設も始めている。ところが治安上の理由からまったく進捗していない。

「ヒンドスタン・タイムズ」によれば、アフガニスタン警察はカブールにある「テロリスト細胞」拠点を急襲し、10名のチャイナ国籍を「テロ容疑者」として拘束し、中国へ送還したと報道した。事実は逆で中国のスパイだった(同紙、2020年12月25日。この新聞はインドの英語新聞)。この「中国人スパイたちは中国国家安全部所属で、カブールではアルカィーダの情報を集めていた。アルカィーダの潜り込んだ中国籍ウイグル人を洗い出し、囮《おとり》作戦を準備中だった」(米国ジェイムズタウン財団発行「チャイナ・ブリーフ」、2021年2月4日付)。

この「スパイ」摘発事件が示唆するのは、米軍撤退後のアフガニスタンにおけるバランスが中国偏重になる予兆である。また協力を要請しているアフガニスタンの治安部隊の訓練を中国の基地に招聘して行っていると前掲チャイナ・ブリーフは分析している。

中国の諜報機関の推定でアルカィーダとIS、ならびにタリバンに潜り込んだウイグル人の若者は数千名。シリアへ出向いて熾烈な武闘の訓練を受け、テロ戦争を戦ったのがおよそ

1000名と見積もっている。

米国防省は、タジキスタンにも中国軍主導の訓練基地が置かれており、カブールの動きを監視しているという。

2016年にトルコのエルドアン大統領は「ウイグル族への弾圧は人類の恥だ」とした。このトルコの力強い支援発言と亡命者の受け入れ態勢により、多くのウイグル族はイスタンブールを目指した。いまでは5万人のウイグル族コミュニティができた。「独立を目ざすテロリストの地下組織がある」と中国がトルコ政府を強く抗議してきた。ウイグル族はトルコ人と同じチュルク系であり、言葉もほぼ共通である。

そもそも現在のアナトリア半島に棲みついたトルコはその昔、中央アジアにあったチュルク系の突厥《とっけつ》、鉄勒《てつろく》などがウズベキスタン、キルギスなどへ南下し、ペルシャからセルジュク・トルコの傭兵《ようへい》となり、いつしかオスマントルコ帝国を築きあげた歴史がある。

ところがワクチンと引き換えにウイグル独立運動活動家を中国へ送還という交渉が続いたことは述べた。

トルコ政府と中国の微妙な関係、政治的雰囲気の変化を敏感に感じ取ったウイグル独立運動活動家の一部は、すでにドイツのミュンヘンなどへ散った。トルコでの政治活動がやりにくくなり、トルコ警察と公安が監視を強化し、ちょっとでも政治的な動きをすると拘束される。すでに50名が不当に拘束されたとウイグル独立運動関係者は言う。

中国はワクチン供給を意図的に遅らせ、50名のウイグル独立運動活動家と引き換えに強制送還をさせる裏取引が進んでいたのだ。

第六章

日本再生への道のり

もっとも深刻なのは少子高齢化と倫理の衰退

孤独死、廃屋、そして若者の自殺。これらは深刻な社会問題である。日本ばかりか世界中の問題である。コロナ禍で新生児の激減、日本は20年1月から21年1月までに14%減だ。

活力に満ち満ちていた日本の姿は消えた。武士道は日本中どこを捜しても見あたらない。戦後教育を受けた「団塊の世代」にとって至近の衝撃は出版社の「学習研究社」が「ケアセンター」に変貌したこと、つまり産業の中核に日本では介護が躍りでたことだ。

かつて「鉄は国家なり」と呼号した国家目標は大きく後退した。新日鐵と住金が合併した日本製鉄さえ呉、福山、君津などで高炉を閉め、合併前の売り上げより下降した。明治維新以来の国家目標だった「富国強兵」は忘れられた。

一方で健康保険料はウナギ登り、年金もパンク状態になった。介護保険が導入され、「看取り士」という新業種が登場した。葬儀の形式もすっかり替わり、家族葬が中心になった。日本文化、その伝統の中核はいずれ消え去るかもしれない。

ほどなく団塊の世代がごっそりと後期高齢者（75歳以上）に突入する。

となると何が一番変わるか？

団塊の世代とともに成長し発展し、企業活動の衰退をくいとめるため進出した新産業の興亡を想起してみよう。

筆者も団塊の世代の走りである。学習雑誌は必読で「高1コース」は学研、受験期となるとなぜか旺文社の「蛍雪時代」。新興ベネッセはいち早く学習参考書の多角化、塾経営に挑んだ。代々木ゼミナールに代表される予備校が全盛時代を終えて規模縮小、廃校、独身者用マンションに転用。各種の資格試験にそなえる学校群も生徒が集まらなくなった。外国人留学生相手の日本語学校もしかり。やがて駅弁大学の統合も起こるだろう。早稲田大学の受験生が初めて10万人（筆者らの時代、20万人を超えていた）を割り込んだことが近未来を象徴する。

何が言いたいのかと言えば、この栄枯盛衰のドラマが次の産業を示唆しているからだ。

老齢化は人口動態を激変させる。地方都市の駅前はシャッター通り、人の住まないマンション、幽霊屋敷もおびただしい。廃屋は全国に200万戸から300万戸もある。とくに地方に多いのは、都会へでた後、何代かを経ると連絡先もわからず、所有権が誰にあるかもわからない廃屋の処理に行政が追われる。墓地も弔う遺族が絶えて無縁仏が山のようにある。

孤独死はざっと3万件。自殺が2万人を超えた。合計すれば5万人余りが毎年不在となり、これに病死、自然死、老衰死の数は新生児数を超え、明らかに人口減少が起きている。一方で人生百歳時代、長寿バンザイと騒ぐ。二極分化だ。

長寿組にとっては「定年後の30万時間をどう過ごすか」という問題がでてくる。

戦後教育は知育、体育を重視したが、徳育を軽視した。その結果、無軌道で知的にも劣化した日本人が目立つ社会となった。そのうえ幸福とは金持ちになることと錯覚する傾向が生まれ、強欲資本主義が日本のビジネスマンの目標になった。

三木清は『人生論ノート』（新潮文庫）でこう言った。

「過去のすべての時代において常に幸福が倫理の中心的問題だったのに、近年日本で書かれた倫理の本を開いてみると、1カ所も幸福の問題を扱っていない」。そのうえ「新たに幸福論が設定されるまでは倫理の混乱は救われないだろう（中略）。幸福論を抹殺した倫理は、一見いかに論理的であるにしても、その内実において虚無主義にほかならぬ」。

2060年には日本の総人口の40％が高齢者となる。現在の議論の間違いは下流老人、老後破産、ケアセンター、医療の充実と社会保障、介護保険等とセットした政策的視野に狭められての侃々諤々《かんかんがくがく》であって、すっぽりと落ちている論点は「幸福」である。

70歳定年とか、制度改正は日米で進んでいる。たとえば米国では1967年に雇用年齢の上限を撤廃した「雇用における年齢差別禁止法」が施行されている。日本でも平成19年に「事業主は労働者の募集及び採用について、年齢に関わりなく均等な機会を与えなければならない」と謳われるようになった。

老後の生きがい、死後の手続きが新しい産業のひとつになるだろう。

次に控える難題は国家安全保障感覚の改善である。

通常戦力の増強もさりながら、これからはハッカー戦争にいかに対応するかという喫緊問題に政治が対応できていない。

典型がＬＩＮＥの情報、データの保護はまったく無防備だった事件だ。中国の関連会社で閲覧が可能だったと親会社の「Ｚホールディングス」が認めた（２０２1年3月17日）。

上海の関連会社と業務委託先の大連の現地法人が名前や電話番号、トーク内容、書き込みにアクセスできたが、法律的には「データの海外移転」扱いで済まされてきた。

日本国内で８６００万人が利用しているのがＬＩＮＥネットワークだ。しかも一部自治体では住民票、給付金の申請窓口となっているのだから、個人の銀行口座も当然、そのデータには含まれている。またワクチン予約システムを提供していたが、情報漏洩の対策に不備があった。

第一にシステム開発を中国に委託するという基本的な誤り、第二にデータ管理を韓国に保管させてきたという安全感覚の欠如。第三にこれほどの現実を前にしても責任者は「日本国内のユーザー情報に（中国の委託先従業員が）アクセスできる状態になっていた」と説明したものの、「データはまるごと盗まれていました」という可能性を認めないことだ。

日本政府は重い腰を上げて中国への技術流出を防ぐために科技基本計画を改める。菅首相を座長とする「総合科学技術・イノベーション会議」は2021年から5年間の方針を示す基本計画をまとめた。総額30兆円で、「国際共同研究を進める」とする一方で研究環境の透明性を高めるために指針を示した。

とくに中国の「千人計画」によって、欧米ならびに日本の研究者が次々に籠絡され、間接的にハイテク情報が流出している。なかんずくハーバード大学の有名教授が中国の技術スパイだったことが判明し、米司法当局は中国からの資金提供を申告しなかった容疑で当該教授を虚偽申告で起訴したが、これは氷山の一角に過ぎない。

日本のエンジニアは国家安全保障の感覚に乏しく、戦後教育と風潮のせいで自分のやっている行為が売国に相当するという認識がないのは前述した通りである。

2021年3月17日、札幌地裁は同性婚の申請を受理しないのは違憲だとの判決を出した。皇室問題有識者会議はひとりの専門家もいないが、メンバーの半分が女性、五輪委員長も女性、ついでにいえば都知事も女性。そして週刊誌は「愛子天皇」特集である。

これらすべては欧米の論調におもねった結果である。日本の伝統に背を向けても平然としているのは、社会の風潮が国家の根幹に関して無関心だからだ（もともと天照大神が女帝であるように日本は古代から世界で一番の女性重視である）。

円高に陥没する事態は避けたい

目先の為替市場を観察する限り、蓋然性《がいぜんせい》は低いように見えるが、じつは円高マグマの噴火が近い。「円高」はなぜか米国の民主党政権で起こる。

その昔、1ドルが360円の固定相場時代、為替差損は日銀が負っていた。固定レートがかなり長期にわたって維持できた理由は、資本も資金移動も自由化されておらず、M&A（企業合併・買収）などは日本では稀で、ひたすら貿易黒字を積み上げていた。緩慢に円高傾向となることは明らかだった。日本人の海外渡航が自由化されたのは昭和40年代だった。しかし自由化されても持ち出せる外貨は1000ドル以内だった。日本人の海外旅行者数が100万人を超えたのは昭和48年ごろだった。ドルを日本は必死で貯めて賠償金を支払ってきたからである。

1971年のニクソンショックで米ドルは金兌換《だかん》システムから離脱した。すなわち米ドルは紙切れとなった。1972年のスミソニアン合意から1985年の「プラザ合意」を経て、円ドル・レートは完全に変動相場制に移行した。つまり為替差損が政府から民間へするりと移転したのだ。

為替レートは実体貿易の数十倍の規模で行われる通貨取引によって決まる。したがって、通貨はＦＸ市場の商品であり投機対象となった。ジョージ・ソロスはポンド危機に便乗して一夜で10億ドルを稼ぎ出し、97年のアジア通貨危機でも裏面で暗躍したフシがある。皮肉にも準固定相場制度をとる香港、台湾、中国のようなドルペッグ体制の国々のほうが為替の乱高下が起こりづらい。

通貨がいったん穀物や石油のような投機商品に化ければ、従来の為替理論は通用せず、実体経済や貿易バランスは横に追いやられる。第一に金利、第二に経常収支、第三が政治相場、そして主要国の政治環境によって左右される。これらの変動指数から次の相場形成の傾向を先読みする投機筋が通貨戦争を仕掛けるのだ。

レーガン政権二期目、１９８５年にベーカー財務長官は日本に強引にプラザ合意を押しつけた。クリントン政権の時代、１ドルは１２４円から83円台となった。オバマ政権は日本のことなど眼中になかったかのように１ドル＝75円という記録的な「円高」になっても、日本の悲鳴を無視した。バイデン政権の発足前すでにドル下落が始まっていた。

「円高マグマ」が爆発寸前だと産経新聞編集委員の田村秀男はこう警鐘を鳴らした。

「財政、金融の連携が（アメリカと逆に）緩い日本とのギャップで、円高を（アメリカの金融環境が）加速させかねない」

マグマとは「日米の実質金利差」であり、「実質金利は名目金利からインフレ率を差し引いて算出する。金の裏付けのない現代のお金の値打ちはその通貨建ての市場金利と、その通貨でいかほど購買できるかを占めるインフレ率に左右される。実質金利が高い通貨が選好され、低い通貨は売られる」（２０２０年12月19日産経新聞）。

中国が日本国債を購入しているのは、ドルから円への転換で得られる金利差であり、つまるところ日本国債の金利が０・５％であっても十分に投資価値があるというわけだ。

オバマ政権のときの円高は、アメリカの通貨供給の増発に、緊縮財政に固執した日本銀行によってタイトな通貨政策という愚策を続けた結果である。もし通貨増発で対応していれば問題はなかった。白川日銀総裁の責任は重いと言わざるをえないのである。

円高とは輸出競争力を失わせ、工場を海外へ移転せざるをえなくなり、国内産業が空洞化して、最終的には日本の国益を著しく棄損するのである。

コロナ禍による財政出動は記録的天文学的巨額となった。アメリカはお構いなく赤字国債をだし続けていく。日本も巨額に加えて補正予算で真水を増やしてはいるものの、この程度では円高マグマを冷却するには到らないだろう。

ともかく円高で輸出産業は価格競争に敗れ、そのうえ「リスクキャピタルの凍結で投資競争に負けた。エルピーダメモリーの破綻など、相次ぐハイテク企業の挫折、部門売却、技術流出はなぜおきたのだろうか。日本には資金＝貯蓄は極めて潤沢にあった。リスクプレミアムが高すぎて投資に向かわなかったためである。何故リスクプレミアムが高かったのか。それは根拠なき悲観のため、アニマルスピリットが消えたからである」(武者陵司「ストラテジー・ブレティン」、2021年3月11日)。

もっとわが国の足下を照らそう

舶来信仰は終わったと思っていた。ところが日本の外国崇拝、その模擬応用という病理はまだ完全には治癒されていない。

なにしろ国家安全保障に関してアメリカが護ってくれるからと楽天的であり、物事を真剣に考えまいとする傾向が顕著である。したがって日本の選挙で安全保障の議論は有権者の興味を誘うことがない。なんとも不思議な国である。だから国会議員は、国家の中枢にある基本問題を議論しない。テレビに向かってのパフォーマンスが主流となってモリカケとか桜を見る会の領収証とかで騒ぎ立てるのだ。なんという些末な議論を国会でやっているのだろう。幼稚園のままごと遊び?

明治維新以後にどっと入ってきた舶来品、産業革命は鉄鋼や織機などに大きな変革をもたらし、御雇い外国人を高給で呼び寄せ、指導してもらった時期があった。しかし、たちまちにして日本は新技術を自家薬籠《じかやくろう》のものとし、鉄鋼、造船、自動車、半導体で世界一の座をえた。まさに明治時代は「坂の上の雲」を追った。思想、文学、歴史から医学、薬学まで欧米のほとんどの書籍は翻訳され、新思潮が世にあふれでた。「国風の復活」は明治後期になってからである。奈良・平安朝も隋・唐の舶来文化に取り憑かれた時期が長かった。しかし国風が起こり、古事記、万葉集、古今集、源氏物語と続いて独自の日本文化を確立し、外国かぶれは雲散霧消した。江戸時代の鎖国は日本独自の文化が頂点を極めた。芭蕉《ばしょう》が出た。近松が出て、歌舞伎が完熟し広重、北斎と世界の一級品が競い合った。

コロナ禍と同じように現在のわが国では、既存の価値がきれいさっぱりと破壊された。佐藤政権の折、未来学者のハーマン・カーンは「21世紀は日本の世紀」と言った。この予言は前倒しされ、1980年代は「日本の黄金時代」だった。以後は右肩下がりとなって、中国などの新興工業力に追いつかれ、GDPはやがてインドにも抜かれるだろう。

90年代に日本で持てはやされたのはズビグニュー・ブレジンスキー、ジャック・アタリ、そして『第三の波』を書いたアルビン・トフラーの3人組だった。前者2人はグローバリスト、後者はハーマン・カーンの亜流だった。

2000年代になると米国一極支配を説いたフランシス・フクヤマ、ロバート・ケーガン、ソ連崩壊を予言したエマニュエル・トッドらがメディアに持てはやされた。しかし足下を照らせば、ソ連の崩壊は丹羽春喜、那須聖、小室直樹らが予測していた。とくに丹羽論文は英訳され、米国で大いに注目されていたのだ。

近ごろの「4人組」と言えば、経済ではポール・クルーグマン、ジョセフ・スティグリッツ、近未来予測ではアラン・ブルーム、そしてニーアル・ファーガソンだろうか。日本のメディアの悪い癖はこれら著名な外国人の予測をありがたがって大きくページを割くが、日本人で同様な予測をなしている論客には見向きもしない。

舶来信仰は物質的には収まったかに見えて、日本人デザイナーが見直されているものの映画といえばハリウッド、邦画はさっぱりふるわず、文学は川端、三島以後、明らかに衰退した。むろん教育の偏向とメディアの自律性のなさが主な原因だが、スマホが思考空間を画一的にし、視野狭窄《きょうさく》なレベルへ押し下げたのではないか。テレビ全盛のころ、大宅壮一は「日本国民総評論家」と言ったが、情報空間の拡がりはかえって混乱をもたらし、同時にものごとを真剣に考えない人々が増えたのである。

楼継偉《ろうけいい》は胡錦濤政権下、財務部長（蔵相）を務め、「2025中国製造」を批判し、また日本のバブル崩壊の轍《てつ》を踏むなと中国当局に強く警告してきた。全国社会保障基金理事長などを歴任。中国共産党第十八期中央委員。その楼継偉が「米国の巨大な財政支出は世界経済に悪影響をもつだろうが、中国は予算を縮小できずに他方で地方政府が債務を増大させているのだから、極端に危険な事態に直面するだろう」とした。

この楼発言は内部の会議で以前に行われていたもので、全人代を前に表面化した。楼継偉は異色の人で、南海艦隊勤務のあと、首鋼集団につとめ、28歳になって清華大学へ入った。以後、社会科学院において頭角を現し、朱鎔基首相が才能を認め財務部長へ登り詰めた。そのあとにＡＩＩＢ（アジアインフラ投資銀行）の理事会主席も歴任した。そのベテランが中国の債務の危機を警告しているのだ。

さはさりながら中国のことより日本の金融財政状況である。

コロナを口実に無利子、無担保の信用創造を断行しているが、歳入の裏づけに乏しいにもかかわらず令和３年度の日本の国家予算は１０７兆円弱。加えて補正予算。これらの真水が73兆円と未曽有の規模に膨らむ。

これはＧＤＰの15％に相当するから、菅直人民主党政権で５００兆円（４９７兆円だった）を割り込んだ日本のＧＤＰは安倍政権で５５９兆円となり、コロナ最悪期にまた５００兆円すれすれとなった。もし真水が最終消費にまわれば、単純計算で２０２１年度の日本のＧＤＰは６１６兆円となる。

当然、円高になると予測される為替市場は年初来、むしろ円安傾向になっている。

「共同体」を誰が殺したか

国際政治学のイロハから言えば、主権国家として異形なかたちをしているのが日本である。どうやって正常な「普通の国」にリセットできるだろうか？

もし日本が独立国家であるとしたら、外国製の所謂「憲法」などとうに廃棄処分にしていただろう。外国軍の存在は国益に適っているとは言えず、なぜ日本人はこの基本問題に疑問を呈しないのか。

バイデン大統領は日本のことを何も知らないが、彼ですら「日本の憲法を作ったのはわれわれだ」と副大統領時代に吐露したことがあった。日本は事実上、米国の軍事力に守られているのに平和の念仏を唱えてひとり悦に入っている構図は、アメリカから見れば癪《しゃく》の種でもある。

世界はいまや強い日本を望んでいる。つまり「平和主義」とか、「憲法を守れ」と念仏を唱えている人々こそ「世界の安全を脅かす危険な思想の持ち主である」とケント・ギルバートが言う。

ケントは日本語が流暢なうえ、日本の書籍も読みこなすほどに日本に親しんできたからこそ言える迫力がある。来日して最初に驚いたのは多くの日本人が『古事記』『日本書紀』を読んでいないこと、国の成り立ち神話を知らないとは尻餅《しりもち》をつくほどの衝撃だったという。彼の卒論は三島由紀夫なのである。日本との未知の遭遇が三島文学と『古事記』『日本書紀』だったことが氏の日本理解を深めた。

「誰がどう言おうと、日本人は正直で誠実であり、正義を重んじ、嘘を嫌い、潔さを好んで恩義を忘れない人たちだということです。民度が高いことに間違いはなく、アメリカが正面から認める過ちについて、その辛い過去を水に流せることができた人たちだと確信しています」（中略）「大国同士の外交の場面で正直や誠実が適用するのは、日本とアメリカの間くらいなものでしょう。日本人の多くがそれをわかっていない」（ケント・ギルバート『強い日本が平和をもたらす　日米同盟の真実』、ワニブックス）

偽善ではなくアメリカ人の実直なホンネが語られている。

「日本のオピニオン・リーダーたちは、中間共同体を保持するといふ常識的な知恵を、まるで時代錯誤であるかのやうに否定し続けた。一方で、財政出動による止めどない福祉国家化が、この共同体殺しに拍車をかけた。その挙句、国債乱発が慢性化し続けてゐる。間もなく人口激減のなかで、税収が恐ろしい速度で減少し始めれば、わが国に何がおきるか。共同体が荒れ尽くされたあとに、国が個人を救済する余裕を失へば、わが国の個人は、かつてない脆弱さの只中に放置されるに至るであらう」（小川榮太郎『「保守主義者」宣言』、育鵬社）。

ならば世界と日本を守る保守主義の思想とは何か？

日本史が明示しているのは、「自民族による適度の保守と変革によるなだらかな展開を示してきたために、あへて保守主義を奉じて防御戦に挑む局面は存在しなかった」と分析する小川榮太郎は強い保守の思想が出現するのは外敵に対しての反応だったとして、激烈なナショナリズムが甦生《そせい》する経緯を考えつつ次のようにまとめた。

「本質的な意味での保守思想の出現は、西郷隆盛にその嚆矢《かうし》を見るべきだろう。維新政府が急進的な近代化の路線を選択した時、最大の功臣であつた西郷隆盛はこれに強い懸念を示し、政府から離脱した。

西郷の思想は、武士が体現してゐた道義性への強い愛着と近代功利主義への根深い懐疑と要約できる」（小川前掲書）

西南戦争は近代化の行き過ぎに対する保守の挑戦でもあった。

西郷軍が敗れたことによって日本の近代化は逆に推進され、保守主義の本義は行方不明となった。

日米安保条約によって日本の平和をアメリカが守っているのは自然なのか？

２０２１年1月28日に米海軍施設で開催された「情報戦争」の専門家会議の席上、中国の南シナ海における軍事脅威に関して注目の発言があった。

米海軍のジェフェレー・トルスレー副提督は「（たしかに南シナ海の人工島に中国海軍は滑走路を敷き、レーダー基地をおいてミサイル基地も設えたが）、攻撃用の対艦弾道ミサイルは巨費を注ぎ込んだだけだ」（所謂「空母キラー」の脅威ではない）と発言した。

「われわれは『空母キラー』を中国海軍が保有したことを深刻に受け止めて、克明に監視を続けている。詳細を語るわけにはいかないが、現時点での評価である」として詳細の論評は避けた。

中国はＤＦ26Ｂ、ＤＦ21Ｄ（ＤＦは「東風」の略称）という対艦ミサイルの発射実験に成功したと豪語しているうえ、対応するかのように、米軍は戦略爆撃機をグアムの本拠地から米本土へ引き下げる措置を講じたので、当該ミサイルへの射程外へでたと見られていた。ただし米軍の空母は30ノットの速力で移動しつつミサイル攻撃をかわす金属片などを護衛艦や艦載機が撒《ま》き散らすので、中国軍としても、ミサイルのＡＩの精密度をもっと劇的に向上させない限り、航行中の艦船を撃破するのは難しい。そのことを専門家は以前から指摘していた。

折しも大河ドラマの主人公は1万円札の肖像画となる渋沢栄一である。

日本経済復活の可能性を考える際に、きわめて参考になる経済人渋沢栄一は一貫してこころざしを失わず、私利を追わず、ひたすら国家の発展を考えた英傑だった。私欲に走らず、権力を公私混同せず、だからこそ人々が信頼し、渋沢栄一の言うことに耳を傾けた。すでに渋沢伝記については幸田露伴の作品があるうえ、大河ドラマになるというので便乗伝記も続々と登場したが、ビジネス論の書き手やら株式評論家、はてはジャーナリストの書く渋沢論たるやネオ・キャピタリズムだとかの流行に合わせた浅薄なものが多い。

中村彰彦『むさぼらなかった男　渋沢栄一「士魂商才」の人生秘録』（文藝春秋）は幕末の風雲急を告げた情勢を鋭角的に分析し、当時の日本が置かれた客観的情勢を総攬《そうらん》しつつ、海防論の興隆から水戸学の爆発的流行、そして尊王攘夷論の胎動から自爆。公武合体論が提唱され、すぐに沙汰止《さたや》みになるなどと目まぐるしく政治情勢が激変し、志士たちはと言えば狂瀾怒濤《きょうらんどとう》の時代の波に翻弄《ほんろう》され、テロはテロを呼び、はては幕府側の長州征伐に失敗。薩摩は長州と秘密同盟を結び、公武合体論を捨てて一気に倒幕へと迸《ほとばし》った歴史をしっかりとおさえたうえで渋沢論を展開している。

この激動の時代背景を把握しておかないと、渋沢栄一という人物像がはてしなく別の方向に走ってしまう。渋沢の生まれたのは深谷（岡部藩）。ネギの名産地だが、あの時代、藍《あい》と養蚕が盛んだった。豪農のせがれとして育った渋沢栄一は父の影響もあったので四書五経など漢籍に親しみ、同時に家業を手伝って算盤《そろばん》に優れていた。若き日々に基礎的な商才が芽生えていた。青年時代の彼は「政治家として国政に参与してみたい」と星雲の志を抱き、尊王攘夷運動に熱中する。経理、算盤に優れた渋沢に幕末の狂瀾怒濤の状況下で、本来なら死んでいたであろう境遇から「強運」が拓けた。フランスへの派遣だった。彼がフランスで学んだのは株式会社という資本主義のメカニズム。幕政改革から、はては明治政府の国策に取り入れる推進力となった。

中村彰彦はこう言う。

「（渋沢栄一という人間の運の良さは）尊攘激派として行動を起こす前にその限界を悟り、追われる身となった可能性を考えて京へ流れようとしたときには、一橋家の用人・平岡円四郎が栄一と渋沢成一郎を一橋家の家臣として採用してくれた。同家の当主慶喜は栄一の理財家としての才能を高く評価してくれたばかりか、慶喜が将軍、栄一が幕臣となってからは徳川昭武をパリ万博に派遣するにあたってかれに同行を命じてくれた。

ヨーロッパから帰国直後、昭武が水戸藩を相続して栄一を藩士として採用しようとしたときにも、引退し、前将軍となって駿府に来ていた慶喜がその身を案じ、ずっと静岡藩にいられるよう水面下でとりはからってくれた」（前掲書）

このような強運が運命を拓いた。その後の飛躍については周知のことである。しかし渋沢栄一は単純に強運の持ち主ではなく、自己が遭遇した苦境、厳しい環境の中で、状況を適切に判断して、国のためにつくすという公の志を貫いた。同時に「むさぼらなかった」。清廉潔白、利権には無縁でカネに執着しなかった政治家には西郷隆盛、大久保利通らがいるが、その後の顕官たちは金銭の醜聞がまとわりつく。清廉潔白な軍人は乃木大将、東郷平八郎、柴五郎。まさに「むさぼらない男」たちによって近代日本の建設が軌道に乗ったのである。

かくして大河ドラマは渋沢栄一、映画になったのは二宮金次郎。文学、歴史では古典や古事記の静かなブームが起きてきた。

だから夜明けは近い？

エピローグ　伝統の復活

過去は死んでいない、通過してもいない

米国のノーベル文学賞作家ウィリアム・フォークナーに次の箴言《しんげん》がある。

「過去は死んでいない。過去は通り過ぎてもいない」

岡倉天心の『東洋の理想』『東洋の覚醒』は佐伯彰一、桶谷秀昭の名訳がある。天心は、ふたつの名書を英語で書いた。

岡倉天心は日本の伝統的美術をフェノロサとともに再評価し、また画壇にあって伝統の覚醒、日本画の再評価を訴えて自らが塾（日本美術院）を開き、多くの画家の卵を茨城県五浦海岸に集めて特訓した。菱田春草、横山大観らの名作群が生まれた。映画にもなって竹中直人が主演した『天心』は評判をとった。

岡倉天心はこう書いた。

「亜細亜文化の歴史的な富みを、系統的にその秘蔵の実物を通して研究しうる場所は、日本をおいてないのである。帝室の御物、神社、発掘された古墳などが漢代の技法の微妙な曲線の秘密を明かしてくれる。奈良の寺院は、唐代の文化の、また当時隆盛の極みにあって、日本の古典期の想像に大いに影響を与えたインド芸術の代表的作品に富んでいて、かくもめざましい時代の宗教的儀式と哲学はいうまでもなく、その音楽、発声、儀礼、服装にいたるまで手をつけずに保存してきた一国民にとって当然の相続財産となっている（中略）。日本はアジア文明の博物館である」（岡倉天心『東洋の理想』、佐伯彰一訳）。

近代の日本画壇は、維新後、唐突に西洋絵画に暴走し、伝統的日本画家は大変な苦労を強いられた時期があった。目利きの西欧人らは江戸の日本文化の絶頂期に書かれた美人画、浮世絵、写楽、北斎、そして春画を買い求め、せっせと外国へ運んだ。いま名作の浮世絵を鑑賞したいと思えば、ルーブルやNYのメトロポリタン美術館に行かなければいけなくなった。

絵画も音楽も文学もそうであったように西洋にかぶれ、日本が誇る伝統的な骨董《こっとう》、芸術品、鎧兜《よろいかぶと》に日本刀も、打ち捨てられた。たとえば日本企業の社長室や役員室を飾る絵画を見よ。およそが西洋画であり、セザンヌ、ルノアール、モネ。それも複製が多い。欧米では富裕階級の豪邸には大概が絵画で飾られ、インテリアは中世風であり、絨毯はペルシャ。

ゴッホもゴーギャンも生前は評価されず画商から相手にされず、貧困に喘《あえ》ぎながらもゴッホは弟に助けられた。ゴーギャンを助けたのはタヒチのわずかな友人だった。

しかし目利きは収集家にいるのだ。ゴッホをこつこつと買い集めた富豪がいた。多くのゴッホ作品を集めるのはオランダのアムステルダムのゴッホ美術館と、ドイツ国境に近いクレラー・ミューラー美術館である。両方を見に行ったが、後者は山の中の自然林に囲まれた森に開かれていて箱根の彫刻の森美術館のモデルとなった。

フェルメールは死後200年間、誰も相手にしなかった。作品が少なく37点とされるが、筆者が見たのはオランダ、ベルギー、ドイツで半分ほどである。令和元年に上野の森美術館でフェルメール展が開かれたときは雨の中、見に行ったが、入場制限があり展示場は立錐《りっすい》の余地のないほど超満員だった。

この価値の変遷は、いったい何だろうか。

フェルメールは空に浮かぶエンジェルやキリストを描かず、当時の教会が主流の宗教画に興味を失って、世俗の生き方に背を向け、富豪の肖像画も引き受けず、ひたすら孤高に、ひたすら光をモチーフとした作品を描き続けた。門弟二千を誇り多くの教会の絵画をあたかも創作工房のように引き受けたレンブラントと、その生き方が対照的だった。

日本でも伊藤若冲《じゃくちゅう》も長谷川等伯《とうはく》もながく世に埋もれた。

こうした伝統的な、日本的な芸術が正当に評価される日に、日本の再生がある。

言葉の戦争に負けている

「女性蔑視だ」「やつはレイシストだ」とレッテルを貼られると公職を追われる。

これは本来の言論の自由や民主主義の範疇を逸脱している。ポリコレ（言葉狩り）が狂気に近いレベルになっている。

というわけで、この小冊の最後に「言葉の戦争」という文脈で、ちょっとアカデミックな話になるが「一般意味論とは何か」について考えてみたい。

もともと言語学から発達した意味論をアルフレッド・コージブスキー（1879〜1950）が教育的規範として「意味反応」という概念を提議した。

卑近な例でいえば、梅干を見て唾液が分泌される条件反射、人類生存に有益な意味反応のシステムのことを意味する。

つまり「抽象過程への自覚」を展開する学問で、「地図と現地の違い」の自覚、表現方法により現実が破棄された自覚、「抽象過程への自覚」を反射的に実践することになる。

ソクラテス、プラトンと並ぶ哲学者のアリストテレスは人間の本性が「知を愛する」ことにあるとした。ギリシア語でフィロは「愛する」、ソフィアは「知」である。だから地図では理解できないことが現場でわかるという実証も大切にした。

ところが「大衆とはものを考えない人々」（オルテガ）なのである。この無知な大衆を煽動し、洗脳するために「一般意味論の悪用」が行われた。とくに政治的悪用を思いついたのが、ヒトラー政権の宣伝相だったゲッペルスだ。

連合国側も、「ヒトラーは大虐殺者」「人類の敵」をいう悪イメージを付与した。第二次大戦は言葉の戦争だった側面がある。

今日のリベラル派メディアが頻用する「民主主義の敵」「環境破壊者」「レイシスト」がまさにそれである。

豊臣秀吉は信長政権を簒奪したが、そのやましさを隠蔽するために明智光秀に「主殺し」、「謀反人」の印象操作を行った。右筆《ゆうひつ》（武家の職名で貴人に侍し、文書を書く役目の人）に命じて光秀を悪人にしておけば、秀吉の統治の円滑化に活用できた。

これが一般意味論における「同一視反応」(identification reaction）の有効活用だ。

サミュエル・ハヤカワ著の『思考と行動における言語』が意味論の教科書と言っていいだろう。日系二世のハヤカワは上院議員に上り詰めた言語学者で、サンフランシスコ州立大学の学長も務め、一般意味論を発展させた。

同一視反応の典型は「猿はIQが低い」「かれは猿に似ている」「ゆえにかれは頭が悪い」という三段論法で論争を進めるコツにもある。

日本はこうした印象操作、情報工作に徹底的な後れを取っている。

なぜならPRを日本人はコマーシャルだけと誤認しているからだ。本義的にPR（パブリック・リレーションズ）とは個人、企業、国家の印象を高める手段である。その一分野が新製品の効用、効果の宣伝（広報）である。官報、社報も広報レベルである。しかしPRとは広範な意味で「弘報」なのである。日本にはその戦略がない。

重要なことは「情報」とは単なるインフォメーションではないことだ。情報工作（偽情報、陽動、攪乱《かくらん》、畏怖《いふ》）を列強は専門のKGB、CIA、中国国家安全部、モサッドをもって実践しており、外交の基軸に相手国では代理人を駆使している。「自覚のない代理人」「AGENT OF UNWITTING」がそれで、KGB工作要員だったレフチェンコが米国亡命後に米国連邦議会下院公聴会で証言している。

つまり情報とは「諜報」のことである（ちなみに中国語の「情報」とは「消息」の語彙《ごい》をあてる）。

したがって中国は伝統的に嘘宣伝が得意中の得意芸であり、プロパガンダ戦争の一環として嘘の拡散を行う。近年はネットに政府支持を書き込ませ、批判組には猛烈な攻撃を仕掛ける「五毛幇」の存在がある。中国にとって、あるいはロシアでも、東欧諸国の一部でも、メディアは情報統制の工作部隊という位置づけなのである。最近、西側の専門家はこれを「認知戦争」と定義している。

最近の典型例を挙げればキリがない。森喜朗元首相の発言を意図的に曲げて、イデオロギーではなくポリコレで攻めたように、トランプの不正投票提訴は証拠がないとか、福島産の農作物、魚介類は汚染されているとか。バーンズＣＩＡ長官は今後、このような情報戦がネット空間を支配すると警告している。

言葉の戦争において日本は内外で敵対勢力に負けている。この方面での対応も喫緊事である。

[略歴]

宮崎正弘（みやざき・まさひろ）

1946年金沢生まれ。早稲田大学中退。「日本学生新聞」編集長、雑誌『浪曼』企画室長を経て、貿易会社を経営。82年『もうひとつの資源戦争』（講談社）で論壇へ。

国際政治、経済などをテーマに独自の取材で情報を解析する評論を展開。中国ウォッチャーとして知られ、全省にわたり取材活動を続けている。

中国、台湾に関する著作は五冊が中国語に翻訳されている。

著書に『南北戦争か共産主義革命か！？　迫りくるアメリカ 悪夢の選択』『新装版　激動の日本近現代史 1852 − 1941』『戦後支配の正体 1945―2020』『台湾烈烈　世界一の親日国家がヤバイ』（いずれもビジネス社）、『バイデン大統領が世界を破滅させる』（徳間書店）、『中国大分裂』（ネスコ）、『出身地でわかる中国人』（ＰＨＰ新書）など多数。

本文写真／著者提供

WORLD RESET 2021 大暴落にむかう世界

2021年6月1日　第1刷発行

著　者　宮崎 正弘

発行者　唐津 隆

発行所　株式会社ビジネス社

〒162-0805　東京都新宿区矢来町114番地 神楽坂高橋ビル5F
電話　03(5227)1602　FAX　03(5227)1603
http://www.business-sha.co.jp

〈装幀〉大谷昌稔
〈本文組版〉茂呂田剛（M&K）
〈印刷・製本〉中央精版印刷株式会社
〈営業担当〉山口健志
〈編集担当〉本田朋子

ISBN978-4-8284-2283-1

ビジネス社の本

戦後史観の闇を歴史修正主義が暴く

戦後支配の正体 1945−2020

宮崎正弘
渡辺惣樹……著

定価 本体1600円+税
ISBN978-4-8284-2173-5

75年目の真実！

政治・経済・宗教——
誰が世界を操っていたのか
誰がソ連と中国を作ったのか
歴史修正主義の逆襲シリーズ第2弾！

本書の内容